Premier Amour

TOURGUÉNIEV

Premier Amour

Traduction de MICHEL ROSTISLAV HOFMANN
revue et corrigée

Présentation, notes et dossier par
ODILE ARDIN *et* MATTHIEU ARDIN,
professeurs de lettres

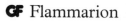 **GF** Flammarion

© Flammarion, pour la traduction.
© 1996, Flammarion, Paris, pour cette édition.
Édition revue, 2008.
ISBN : 978-2-0812-1270-1

OMMAIRE

Premier Amour

L orsque, dans les premiers jours de l'année 1860, Ivan Serguéïevitch Tourguéniev commence à écrire *Premier Amour*, c'est déjà un écrivain reconnu, auteur d'un recueil de nouvelles, *Récits d'un chasseur*, et de trois romans. Il est âgé de quarante et un ans et nous apprend dès la deuxième page que son héros, Vladimir Pétrovitch, « était un homme d'une quarantaine d'années, aux cheveux noirs légèrement mêlés d'argent ». Ce n'est pas le seul point commun entre l'auteur et son personnage. Ils sont si proches que cette longue nouvelle peut être qualifiée d'autobiographique.

L'auteur
et son héros

Tous deux appartiennent au même milieu social, la noblesse fortunée. Quand Ivan Tourguéniev vient au monde en octobre 1818, la société russe, essentiellement rurale, comprend, d'une part, une catégorie peu nombreuse, les nobles, qui possèdent les terres et, d'autre part, la masse immense des paysans qui sont tous serfs. Le servage donne aux propriétaires terriens tous les droits sur les hommes, les femmes et les enfants qui vivent sur leurs terres, ainsi que des revenus réguliers provenant de la vente des récoltes. La fortune des nobles dépend donc de la superficie des terres qui leur appartiennent et du nombre de serfs qui travaillent sur ces terres.

La mère d'Ivan Tourguéniev, Varvara Pétrovna, possède au cœur de la Russie, dans la région d'Orel, un immense domaine, « Spasskoïé », vingt villages et cinq mille paysans. Les revenus de cette propriété permettent à la famille de vivre à Moscou, l'ancienne capitale du pays, et de louer pour l'été une villa à la campagne, à quelques kilomètres de la ville.

Vladimir Pétrovitch connaît la même situation privilégiée : ses parents possèdent un hôtel particulier en plein centre de Moscou, dans le quartier de l'Arbat, et passent l'été dans une « datcha », près du jardin Neskoutchny. La ville s'est beaucoup étendue en un siècle et demi et le jardin Neskoutchny – qui signifie en russe « où l'on ne s'ennuie pas » – est devenu le parc le plus célèbre de Moscou, le parc Gorki.

Auteur et héros vivent dans des familles presque identiques : le père de Vladimir Pétrovitch, comme celui de Tourguéniev, est un homme séduisant qui a épousé sans doute par intérêt une femme plus âgée et beaucoup plus riche que lui, « toujours inquiète, jalouse ». Et c'est de ce père au « beau visage intelligent et ouvert », doué d'une volonté hors du commun, qui affirmait : « Sache vouloir et tu seras libre, et tu pourras commander », que le fils adolescent se découvre le rival malheureux lorsqu'il aime pour la première fois.

De la même façon, la jeune fille dont le jeune Vladimir tombe amoureux est le double de celle qu'Ivan Tourguéniev a aimée au sortir de l'enfance. La jeune princesse Catherine Chakhovskoï a dix-neuf ans lorsque sa mère loue la petite villa accolée à celle des Tourguéniev, près du jardin Neskoutchny. C'est une personnalité forte qui aurait pu dire comme Zinaïda Zassekine, l'héroïne de *Premier Amour* : « Je ne peux pas aimer une personne que je regarde de haut en bas... Il me faudrait quelqu'un qui soit capable de me faire plier, de me dompter... Dieu merci, je ne le rencontrerai jamais !... je ne me laisserai pas prendre[1] ! » Comme Zinaïda, Catherine meurt à Saint-Pétersbourg quelques mois après son mariage, en 1836, quand Ivan Tourguéniev, âgé de dix-huit ans, y est étudiant en philologie.

La ressemblance entre la réalité et la fiction ne se limite pas aux lieux de l'action, au milieu social évoqué et au quatuor père-mère-fils-jeune fille aimée : la personnalité du jeune héros Vladimir Pétrovitch est très proche de celle d'Ivan Serguéïevitch Tourguéniev. Tous deux, comme tous les jeunes gens de la haute société, sont nourris de culture russe et occidentale. L'éducation de Tourguéniev est d'abord confiée à des précepteurs allemands et suisses et il maîtrise très tôt trois langues : le français, l'allemand et... le russe qu'il parle avec les domestiques et les enfants serfs de Spasskoïé, toujours prêts à l'emmener à la découverte des champs et des bois. Comme Vladimir Pétrovitch, il pense en français et lit les auteurs allemands dans le texte. Comme lui, il est enclin à la rêverie et disposé en amour à être dominé, à adorer timidement : « Quoi que vous fassiez, Zinaïda Alexandrovna, dit le héros de *Premier Amour*, et quelles que soient les souffrances qu'il me faille endurer de vous, sachez bien que je vous aimerai et vous adorerai jusqu'à la fin de mes jours[2]. » Et il ne se révolte pas contre un père qui le prive de tous ses espoirs : Je « n'accusais même pas mon père... Ce que je venais d'apprendre était au-dessus de mes forces[3]... »

---

1. Voir p. 54.
2. Voir p. 93.
3. Voir p. 91.

Un point de vue d'adolescent

Lorsque Vladimir Pétrovitch commence à raconter sa première expérience amoureuse, l'auteur, Ivan Tourguéniev, prend le parti de porter sur les personnages et les événements le regard de l'adolescent qu'il a été. Grâce à ce procédé, c'est une énigme à résoudre qui est au centre de la nouvelle. Dès le milieu du récit, le jeune garçon comprend en effet que la jeune fille indomptable dont il est épris est devenue complètement différente, il la voit malheureuse, elle semble brisée : « Mon sang se glaça. J'étais jaloux depuis longtemps, mais à cet instant une idée fulgurante transperça tout mon être : "Mon Dieu ! Elle aime [1] !" » Dès lors, le héros cherche à savoir quel homme a réussi à séduire Zinaïda, mais se montre totalement dépourvu de clairvoyance. L'auteur multiplie les indices destinés à permettre aux lecteurs perspicaces de deviner le nom de l'homme aimé de l'héroïne, mais le jeune Vladimir est incapable de les voir. Il a beaucoup de mal à admettre la vérité que le jeune maître d'hôtel, Philippe, lui révèle trois chapitres avant la fin de la nouvelle : « "Mais est-ce qu'il y a vraiment eu quelque chose ?", articulai-je à grand-peine, en sentant mes bras et mes jambes se glacer [2]. »

---

1. Voir p. 57.
2. Voir p. 90.

L'observation de la réalité

Pour écrire *Premier Amour*, Ivan Tourguéniev n'invente rien. Il se sert de sa mémoire et de ses dons exceptionnels d'observateur des choses et des êtres. Cet homme de quarante et un ans est capable de faire revivre un adolescent de seize ans et une jeune fille de vingt et un ans, de décrire minutieusement les états d'âme de ses personnages, de donner une vision ample et précise de la vie d'une famille de la haute noblesse en villégiature dans les années 1830. C'est à ces qualités de peintre de la réalité et à cette mémoire infaillible qu'il doit d'être reconnu comme un très grand écrivain dès 1847. C'est l'époque où apparaissent dans la revue *Le Contemporain* les premiers récits où il dénonce le servage tout en évoquant ses randonnées de chasseur à travers la campagne russe, récits qu'il rédige à Paris.

La vie à l'étranger

Tourguéniev a quitté la Russie pour la première fois en 1838, pour aller poursuivre ses études en Allemagne pendant deux ans (histoire, grec, latin, philosophie). En 1839, il visite l'Autriche et l'Italie et, six ans plus tard, il se rend à Paris, décidé à suivre un couple qui deviendra sa véritable famille jusqu'à la fin de ses jours, la cantatrice Pauline Viardot et son mari Louis, directeur du Théâtre-Italien de Paris. Il a fait leur connaissance en 1843, alors que Pauline Viardot obtenait un triomphe auprès du public pétersbourgeois. Tourguéniev passera dès lors la plus grande partie de sa vie à l'étranger, en France, en Allemagne, en Angleterre, et reviendra régulièrement en Russie pour de courts séjours. Presque tous ses récits et ses romans seront rédigés hors de Russie, mais ils seront tous écrits en russe et leurs héros seront toujours des intellectuels ou des paysans russes.

Les choix politiques

Tourguéniev apprécie la modération de l'Europe occidentale, c'est un libéral, ferme partisan de l'abolition du servage, convaincu que la Russie peut progresser en suivant la voie des réformes. Mais la plupart des intellectuels russes voient dans son refus des prises de position extrémistes et dans son goût pour la civilisation française ou britannique une trahison. Il est mieux compris par les écrivains français : Flaubert, Mérimée, George Sand sont ses amis. Ce n'est qu'après sa mort à Bougival près de Paris, le 22 août 1883, que le long malentendu entre Tourguéniev et l'élite de la société russe se dissipe. Une foule de quatre cent mille personnes se rassemble à Saint-Pétersbourg pour accompagner jusqu'au cimetière celui qui a allié la foi en la Russie et l'admiration de l'Occident.

HRONOLOGIE

1818 1883
1818 1883

- ■ **Repères historiques et culturels**
- ■ **Vie et œuvre de l'auteur**

Repères historiques et culturels

1814 Chute de l'empereur Napoléon Ier.

1815 Restauration de la royauté en France.

1825 Le tzar russe Alexandre Ier meurt. La noblesse libérale se révolte.
Avènement de Nicolas Ier, qui réprime la révolte et réaffirme
un pouvoir absolu.

1831 Nicolas Ier écrase dans le sang la révolte de la Pologne.

1837 Mort du premier grand écrivain russe Pouchkine,
tué en duel à Saint-Pétersbourg.

1846 Dostoïevski publie son premier roman, *Les Pauvres Gens*.

1848 En France, insurrection, fin de la royauté et avènement
de la IIe République.
Nicolas Ier réprime le mouvement national hongrois à la demande
de l'empereur d'Autriche.

Vie et œuvre de l'auteur

1818   Naissance d'Ivan Serguéïevitch Tourguéniev à Orel, en Russie centrale où sa famille possède un immense domaine.

1827   La famille s'installe à Moscou.

1833   Tourguéniev entre à l'université de Moscou où il étudie la philosophie et la littérature.

1834   Le père de Tourguéniev meurt. Ivan s'inscrit à l'université de Saint-Pétersbourg.

1838   Départ pour l'Allemagne. Tourguéniev poursuit ses études à l'université de Berlin.

1842   Tourguéniev soutient sa thèse de philosophie à l'université de Saint-Pétersbourg.

1843   Tourguéniev entre au ministère de l'Intérieur en qualité d'ethnographe. Il fait la connaissance de la cantatrice Pauline Viardot qui se produit à Saint-Pétersbourg, et de son mari, Louis Viardot.

1845   Tourguéniev prend sa retraite. Premier voyage en France.

1847   Tourguéniev part en France pour trois ans.

1850   Retour en Russie. La mère de Tourguéniev meurt et il hérite d'une grande fortune.

Repères historiques et culturels

1852   En France, Louis-Napoléon Bonaparte devient l'empereur des Français, Napoléon III. En Russie, Tolstoï publie sa première nouvelle, *Enfance*.
Mort de Nicolas Gogol, l'auteur des *Âmes mortes*, du *Nez* et du *Manteau*.

1854   Début de la guerre de Crimée qui oppose la Russie à une coalition formée de la Turquie, la France et la Grande-Bretagne. Défaite de la Russie.

1855   Avènement du tzar Alexandre II.

1861   Alexandre II proclame l'abolition du servage.

1863   Alexandre II réprime la révolte de la Pologne.

1864   Alexandre II lance une grande réforme administrative et judiciaire pour moderniser le pays.

1870   Guerre franco-prussienne (juillet-septembre). Défaite française. Fin du second Empire. Début de la IIIe République.

Vie et œuvre de l'auteur

1852   Tourguéniev écrit un article nécrologique sur Gogol qui lui vaut
d'être arrêté et relégué dans son domaine de Spasskoïé.
Publication des *Récits d'un chasseur*.

1853   Tourguéniev est autorisé à revenir à Saint-Pétersbourg
en novembre.

1854   Parution du récit *Moumou*.

1855   Publication de la comédie *Un mois à la campagne*.
Rencontre avec Tolstoï qui revient de Crimée.

1856   Parution du roman *Roudine*.
Nouveau départ pour l'étranger où il décide de se fixer,
tout en retournant régulièrement en Russie.

1859   Parution du roman *Un nid de gentilshommes*.

1860   Parution du roman *À la veille* et de la nouvelle *Premier Amour*.

1862   Parution du roman *Pères et fils*.

1863   Tourguéniev s'installe à Baden-Baden auprès des Viardot
et fait construire une immense villa.

1867   Parution du roman *Fumée*.

1870   Tourguéniev publie les *Correspondances de la guerre
franco-prussienne* dans *Les Nouvelles de Saint-Pétersbourg*.
Hostile au régime de Napoléon III et favorable à l'Allemagne
au début de la guerre, il préfère bientôt les Français vaincus
aux Allemands vainqueurs.

1871   Retour en France. Tourguéniev s'installe à Bougival
avec les Viardot.

1872   Parution de la nouvelle *Eaux printanières*.

Repères historiques et culturels

1877   Début de la guerre russo-turque. Défaite russe en 1878.

1881   Mort de Dostoïevski. Mort d'Alexandre II, assassiné par des révolutionnaires terroristes.

Vie et œuvre de l'auteur

1877   Parution du roman *Terres vierges*.

1881   Dernier séjour en Russie, dans le domaine de Spasskoïé.

1883   Le 22 août, mort d'Ivan Tourguéniev à Bougival,
après une longue maladie.
Le 27 septembre, enterrement à Saint-Pétersbourg
au milieu d'une foule immense.

Premier Amour

Les invités avaient pris congé depuis longtemps. L'horloge venait de sonner la demie de minuit. Seuls, le maître de maison, Serge Nicolaïévitch[1] et Vladimir Pétrovitch restaient encore au salon.

5   Le maître de maison sonna et fit emporter les reliefs du repas.

« Nous sommes bien d'accord, messieurs, fit-il en s'enfonçant dans son fauteuil et en allumant un cigare, chacun de nous a promis de raconter l'histoire de son premier amour. À vous l'honneur, Serge Nicolaïévitch. »

10 L'interpellé, un petit homme blond au visage bouffi, regarda son hôte, puis leva les yeux au plafond.

« Je n'ai pas eu de premier amour, déclara-t-il enfin. J'ai commencé directement par le second.

– Comment cela ?

15 – Tout simplement. Je devais avoir dix-huit ans environ quand je m'avisai pour la première fois de faire un brin de cour à une jeune fille, ma foi fort mignonne, mais je me suis comporté comme si la chose ne m'était pas nouvelle : exactement comme j'ai fait plus tard avec les autres. Pour être franc, mon premier – et mon

---

1. Nicolaïévitch : le patronyme est le deuxième élément de l'état civil pour tous les Russes, après le prénom et avant le nom de famille. On le forme à l'aide du prénom du père auquel on ajoute pour les hommes le suffixe *ovitch/évitch*. Nicolaïévitch signifie donc : fils de Nicolaï. Quand on s'adresse à quelqu'un qu'on vouvoie ou quand on parle d'un adulte, on donne toujours le prénom entier – et non un diminutif – suivi du patronyme.

20 dernier – amour remonte à l'époque où j'avais six ans. L'objet de ma flamme était la bonne qui s'occupait de moi. Cela remonte loin, comme vous le voyez, et le détail de nos relations s'est effacé de ma mémoire. D'ailleurs, même si je m'en souvenais, qui donc cela pourrait-il intéresser ?

25 – Qu'allons-nous faire alors ? se lamenta le maître de maison… Mon premier amour n'a rien de très passionnant, non plus. Je n'ai jamais aimé avant de rencontrer Anna Ivanovna, ma femme. Tout s'est passé le plus naturellement du monde : nos pères nous ont fiancés, nous n'avons pas tardé à éprouver une 30 inclination mutuelle et nous nous sommes mariés vite. Toute mon histoire tient en deux mots. À vrai dire, messieurs, en mettant la question sur le tapis, c'est sur vous que je comptais, je ne dirai pas vieux célibataires, mais enfin pas tout jeunes. À moins que Vladimir Pétrovitch ne nous raconte quelque chose d'amusant…

35 – Le fait est que mon premier amour n'a pas été un amour banal », répondit Vladimir Pétrovitch après une courte hésitation.

C'était un homme d'une quarantaine d'années, aux cheveux noirs, légèrement mêlés d'argent.

« Ah ! Ah ! Tant mieux !… Allez-y ! On vous écoute !

40 – Eh bien voilà… Ou plutôt non, je ne vous raconterai rien, car je suis un piètre conteur et mes récits sont généralement secs et courts ou longs et faux… Si vous n'y voyez pas d'inconvénient, je vais consigner tous mes souvenirs dans un cahier et vous les lire ensuite. »

45 Les autres ne voulurent rien savoir, pour commencer, mais Vladimir Pétrovitch finit par les convaincre. Quinze jours plus tard, ils se réunissaient de nouveau et promesse était tenue.

Voici ce qu'il avait noté dans son cahier :

I

J'avais alors seize ans. Cela se passait au cours de l'été 1833.
J'étais chez mes parents, à Moscou. Ils avaient loué une villa
près de la porte de Kalouga[1], en face du jardin Neskoutchny[2]. Je
me préparais à entrer à l'université, mais travaillais peu et sans
5 me presser.

Point d'entraves à ma liberté : j'avais le droit de faire tout ce
que bon me semblait, surtout depuis que je m'étais séparé de
mon dernier précepteur, un Français qui n'avait jamais pu se
faire à l'idée d'être tombé en Russie comme une bombe[3] et pas-
10 sait ses journées étendu sur son lit avec une expression exaspérée.

Mon père me traitait avec une tendre indifférence ; ma mère ne
faisait presque pas attention à moi, bien que je fusse son unique
enfant : elle était absorbée par des soucis d'une autre sorte.

Mon père, jeune et beau garçon, avait fait un mariage de rai-
15 son. Ma mère, de dix ans plus vieille que lui, avait une existence
fort triste : toujours inquiète, jalouse, en colère, elle n'osait pas se
trahir en présence de son mari qu'elle craignait beaucoup… Et lui,
affectait une sévérité froide et distante… Jamais je n'ai rencontré
d'homme plus posé, plus calme et plus autoritaire que lui.

20 Je me souviendrai toujours des premières semaines que j'ai
passées à la villa. Il faisait un temps superbe. Nous nous étions

---

1. *Porte de Kalouga* : endroit où l'on entrait dans Moscou en venant du sud-
ouest, la ville de Kalouga étant située au sud-ouest de Moscou.
2. *Neskoutchny* : le jardin Neskoutchny (ce qui signifie « sans ennui ») s'étendait sur plus de 35 hectares au sud de Moscou. Il avait été acheté par le tzar
Nicolas Ier. Quand la famille impériale ne se trouvait pas à Moscou, le jardin
était ouvert au public. À l'heure actuelle, c'est une partie du parc Gorki, lieu de
promenade des Moscovites.
3. *Comme une bombe* : en français dans le texte.

installés le 9 mai, jour de la Saint-Nicolas. J'allais me promener dans notre parc, au jardin Neskoutchny, ou de l'autre côté de la porte de Kalouga ; j'emportais un cours quelconque – celui de Kaïdanov [1], par exemple – mais ne l'ouvrais que rarement, passant la plus claire partie de mon temps à déclamer des vers dont je savais un grand nombre par cœur. Mon sang s'agitait, mon cœur battait à tout rompre, c'était délicieux et étrange ; j'attendais quelque chose, effrayé de je ne sais quoi, toujours intrigué et prêt à tout. Mon imagination se jouait et tourbillonnait autour des mêmes idées fixes, comme les oiseaux de Saint-Martin, à l'aube, autour du clocher. Je devenais rêveur, mélancolique ; parfois même, je versais des larmes. Mais à travers tout cela, perçait, comme l'herbe du printemps, une vie jeune et bouillante.

J'avais un cheval. Je le sellais moi-même et m'en allais très loin, tout seul, au galop. Tantôt je croyais être un chevalier à un tournoi – et le vent sifflait si joyeusement à mes oreilles ! – tantôt, je levais mon visage au ciel, et mon âme large ouverte se pénétrait de sa lumière éclatante et de son azur.

Pas une image de femme, pas une vision de l'amour féminin ne s'était présentée nettement à mon esprit ; mais dans tout ce que je pensais, dans tout ce que je sentais, il se cachait un pressentiment à moitié conscient et pudique, la prescience de quelque chose d'inédit, d'infiniment doux et de féminin…

Et cette attente s'emparait de tout mon être : je la respirais, elle coulait dans mes veines, dans chaque goutte de mon sang… Elle devait être bientôt comblée.

Notre villa comprenait un bâtiment central, en bois, avec une colonnade, flanquée de deux ailes basses ; l'aile gauche abritait une minuscule manufacture de papiers peints… Je m'y rendais souvent. Une dizaine de gamins maigrichons, les cheveux hirsutes, le visage déjà marqué par l'alcool, vêtus de cottes graisseuses,

---

1. *Kaïdanov* : historien, auteur de plusieurs manuels d'histoire russe et d'histoire générale.

sautaient sur des leviers de bois qui commandaient les blocs de presses carrées. De cette manière, le poids de leur corps chétif
55 imprimait les dessins multicolores du papier peint. L'aile droite, inoccupée, était à louer.

Un beau jour, environ trois semaines après notre arrivée, les volets des fenêtres s'y ouvrirent bruyamment, j'aperçus des visages de femmes – nous avions des voisins. Je me rappelle que le soir
60 même, pendant le dîner, ma mère demanda au majordome qui étaient les nouveaux arrivants. En entendant le nom de la princesse Zassekine, elle répéta d'abord, avec un certain respect : « Ah ! une princesse », puis elle ajouta : « Pour sûr, quelque pauvresse. »

« Ces dames sont arrivées avec trois fiacres, observa le domes-
65 tique, en servant respectueusement le plat. Elles ne possèdent pas de voiture, et quant à leur mobilier, il vaut deux fois rien.

– Oui, mais j'aime tout de même mieux cela », répliqua ma mère. Mon père la regarda froidement et elle se tut.

Effectivement, la princesse Zassekine ne pouvait pas être riche :
70 le pavillon qu'elle avait loué était si vétuste, petit et bas que même des gens de peu de fortune auraient refusé d'y loger. Pour ma part, je ne fis aucune attention à ces propos. D'autant plus que le titre de princesse ne pouvait pas produire sur moi la moindre impression, car je venais précisément de lire *Les Brigands*, de Schiller [1].

II

J'avais pris l'habitude d'errer chaque soir à travers les allées de notre parc, un fusil sous le bras, guettant les corbeaux. De tout temps, j'ai haï profondément ces bêtes voraces, prudentes et

---

1. Drame en vers du poète allemand Friedrich von Schiller (1759-1805), dans lequel il dénonce la tyrannie. Cette pièce eut beaucoup de succès en Russie quand elle y fut montée en 1829 ; plusieurs jeunes gens partirent vivre dans les forêts et devinrent brigands comme les héros de Schiller.

malignes. Ce soir-là, descendu au jardin, comme de coutume, je venais de parcourir vainement toutes les allées : les corbeaux m'avaient reconnu et leurs croassements stridents ne me parvenaient plus que de très loin. Guidé par le hasard, je m'approchai de la palissade basse séparant *notre* domaine de l'étroite bande de jardin qui s'étendait derrière l'aile droite et en dépendait.

Je marchais, tête baissée, lorsque je crus entendre un bruit de voix ; je jetai un coup d'œil par-dessus la palissade, et m'arrêtai stupéfait… Un spectacle étrange s'offrait à mes regards.

À quelques pas devant moi, sur une pelouse bordée de framboisiers verts, se tenait une jeune fille, grande et élancée, vêtue d'une robe à rayures roses et coiffée d'un petit fichu blanc ; quatre jeunes gens faisaient cercle autour d'elle, et elle les frappait au front, à tour de rôle, avec une de ces fleurs grises dont le nom m'échappe, mais que les enfants connaissent bien : elles forment de petits sachets qui éclatent avec bruit quand on leur fait heurter quelque chose de dur. Les victimes offraient leur front avec un tel empressement, et il y avait tant de charme, de tendresse impérative et moqueuse, de grâce et d'élégance dans les mouvements de la jeune fille (elle m'apparaissait de biais), que je faillis pousser un cri de surprise et de ravissement… J'aurais donné tout au monde pour que ces doigts adorables me frappent aussi.

Mon fusil glissa dans l'herbe ; j'avais tout oublié et dévorais des yeux cette taille svelte, ce cou mince, ces jolies mains, ces cheveux blonds légèrement ébouriffés sous le fichu blanc, cet œil intelligent à moitié clos, ces cils et cette joue veloutée…

« Dites donc, jeune homme, croyez-vous qu'il soit permis de dévisager de la sorte une demoiselle que vous ne connaissez pas ? » fit soudain une voix, tout contre moi.

Je tressaillis et restai interdit… Un jeune homme aux cheveux noirs coupés très court me toisait d'un air ironique, de l'autre côté de la palissade. Au même instant, la jeune fille se tourna également de mon côté… J'aperçus de grands yeux gris, sur un visage mobile qu'agita tout à coup un léger tremblement, et le rire, d'abord

contenu, fusa, sonore, découvrant des dents blanches et arquant curieusement les sourcils de la jeune personne... Je rougis piteuse-
40 ment, ramassai mon fusil et m'enfuis à toutes jambes, poursuivi par les éclats de rire. Arrivé dans ma chambre, je me jetai sur le lit et me cachai le visage dans les mains. Mon cœur battait comme un fou ; je me sentais confus et joyeux, en proie à un trouble comme je n'en avais jamais encore éprouvé.

45 Après m'être reposé, je me peignai, brossai mes vêtements et descendis prendre le thé. L'image de la jeune fille flottait devant moi ; mon cœur s'était assagi, mais se serrait délicieusement.

«Qu'as-tu donc ? me demanda brusquement mon père. Tu as tué un corbeau ?»

50 J'eus envie de tout lui raconter, mais je me retins et me conten-tai de sourire à part moi. Au moment de me coucher, je fis trois pirouettes sur un pied – sans savoir pourquoi – et me pommadai les cheveux. Je dormis comme une souche. Peu avant le petit jour, je me réveillai un instant, soulevai la tête, regardai autour de moi,
55 plein de félicité – et me rendormis.

III

«Comment m'y prendre pour faire leur connaissance ?» Telle fut ma première pensée quand je me réveillai.

Je descendis au jardin avant le thé, mais évitai de m'appro-cher trop près de la palissade et n'aperçus âme qui vive.

5 Après le thé, je passai et repassai plusieurs fois devant *leur* pavillon et essayai de percer de loin le secret des croisées... À un moment donné, je crus deviner son visage derrière un rideau et m'éloignai précipitamment.

«Il faut tout de même bien que je fasse sa connaissance, me
10 disais-je, en me promenant sans but dans la plaine sablonneuse qui s'étend devant le jardin Neskoutchny. Mais comment ? Voilà

le problème. » J'évoquais les moindres détails de notre rencontre de la veille ; de toute l'aventure, c'était son rire qui m'avait frappé le plus, je ne savais pourquoi...

15 Pendant que je m'agitais et imaginais toutes sortes de plans, le destin avait déjà pris soin de moi...

Pendant mon absence, ma mère avait reçu une lettre de notre voisine. Le message était écrit sur un papier gris très ordinaire et cacheté avec de la cire brune, comme on n'en trouve généralement 20 que dans les bureaux de poste ou sur les bouchons des vins de qualité inférieure. Dans cette lettre, écrite dans une langue pleine de fautes et d'une écriture peu soignée, la princesse demandait à ma mère de lui accorder aide et protection. Ma mère, selon notre voisine, connaissait très bien des gens influents, dont dépendait le sort de la princesse 25 et de ses enfants, car elle était engagée dans de gros procès :

« Je m'adresse à vous, écrivait-elle, come une fame noble à une autre fame noble, et d'autre part, il met agréable de profité de ce asart... » Pour conclure, la princesse sollicitait l'autorisation de venir rendre visite à ma mère.

30 Cette dernière se montra fort ennuyée : mon père était absent et elle ne savait à qui demander conseil. Bien entendu, il n'était pas question de laisser sans réponse la missive de la «fame noble» – une princesse par-dessus le marché ! Mais que faire ! il semblait déplacé d'écrire un mot en français, et l'orthographe russe de ma 35 mère était plutôt boiteuse ; elle le savait et ne voulait pas se compromettre.

Mon retour tombait à pic. Maman me demanda de me rendre tout de suite chez la princesse et de lui expliquer qu'elle était toujours prête, dans la mesure du possible, à rendre service à Son Altesse et 40 qu'elle la priait de venir la voir entre midi et une heure. La réalisation soudaine de mon désir secret me remplit de joie et d'appréhension. Cependant, je n'en laissai rien voir et, avant d'accomplir la mission, montai dans ma chambre afin de passer une cravate neuve et ma petite redingote. À la maison, l'on me faisait porter encore veste 45 courte et col rabattu, malgré mes protestations.

IV

Je pénétrai dans le vestibule étroit et mal tenu, sans réussir à
maîtriser un tremblement involontaire, et croisai un vieux domestique aux cheveux blancs, dont le visage était couleur de bronze et
les yeux mornes et petits, comme ceux d'un porc. Son front et ses
5 tempes étaient burinés de rides profondes, comme je n'en avais
encore jamais vu. Il portait un squelette de hareng sur une assiette.
En m'apercevant, il repoussa du pied la porte qui donnait dans
l'autre pièce et me demanda d'une voix brusque :

« Qu'est-ce que vous voulez ?

10 — Est-ce que la princesse Zassekine est chez elle ? m'informai-je.

— Boniface ! » cria derrière la porte une voix de femme éraillée.

Le domestique me tourna silencieusement le dos, offrit à mes
regards une livrée fortement usée sur les omoplates, dont l'unique
bouton, tout couvert de rouille, était frappé aux armes de la prin-
15 cesse, posa l'assiette sur le sol et me laissa seul.

« Es-tu allé au commissariat ? » reprit la même voix.

Le domestique marmonna quelque chose.

« Tu dis… qu'il y a quelqu'un ?… le jeune maître… Fais-le
entrer ! »

20 « Veuillez entrer au salon », fit le domestique en réapparais-
sant devant moi et en ramassant son assiette.

Je rectifiai rapidement ma tenue et passai au « salon ».

J'étais dans une petite pièce pas très propre, meublée pauvre-
ment et à la hâte. Une femme, âgée d'une cinquantaine d'années,
25 nu-tête, se tenait assise dans un fauteuil aux bras cassés, près de
la fenêtre. Elle portait une vieille robe de couleur verte et un fichu
bariolé de laine autour du cou. Elle me dévorait littéralement de
ses petits yeux noirs.

Je m'approchai d'elle et la saluai.

30 « Ai-je l'honneur de parler à la princesse Zassekine ?

– Oui, c'est moi. Et vous êtes le fils de M. V… ?

– Oui, princesse. Ma mère m'a chargé d'une commission pour vous.

– Asseyez-vous donc, je vous en prie… Boniface !… Où sont
35 mes clefs ?… Tu ne les aurais pas vues ? »

Je rapportai la réponse de ma mère à mon interlocutrice. Elle m'écouta en tambourinant sur la vitre avec ses gros doigts rouges et, quand j'eus fini de parler, me dévisagea de nouveau.

« Très bien. Je viendrai sans faute, dit-elle enfin. Comme vous
40 êtes jeune ! Quel âge avez-vous, s'il n'est pas indiscret de vous le demander ?

– Seize ans », répondis-je avec une hésitation involontaire.

La princesse tira de sa poche quelques papiers graisseux et gribouillés, les porta tout contre son nez et se mit à les déchiffrer.

45 « Le bel âge, dit-elle soudain, en se tournant vers moi et en remuant sa chaise. Je vous en prie, pas de cérémonies, chez moi tout est simple. »

« Trop simple », ajoutai-je à part moi, en jetant un coup d'œil dégoûté sur toute sa silhouette malpropre.

50 À cet instant précis, une autre porte s'ouvrit, et la jeune fille de la veille apparut sur le seuil. Elle leva la main et un sourire moqueur éclaira son visage.

« C'est ma fille, dit la princesse en la désignant du coude. Zina[1], c'est le fils de notre voisin, M. V… Comment vous
55 appelez-vous, jeune homme ?

– Vladimir, balbutiai-je, plein de confusion, en me levant précipitamment.

– Et votre patronyme est ?

– Pétrovitch.

---

1. *Zina* : diminutif du prénom russe Zinaïda.

60 – Tiens ! J'ai connu un commissaire de police qui s'appelait également Vladimir Pétrovitch. Boniface, ne cherche plus les clefs : je les ai dans ma poche. »

La jeune fille me dévisageait toujours du même air moqueur, en clignant légèrement les yeux et la tête un peu penchée de côté.

65 « Je vous ai déjà vu, monsieur Voldémar, commença-t-elle (le son argentin de sa voix me fit tressaillir d'un doux frisson)… Vous voulez bien que je vous appelle ainsi, n'est-ce pas ?

– Mais comment donc, balbutiai-je à peine.

– Où ça ? » demanda la princesse.

70 La jeune fille ne lui répondit rien.

« Avez-vous une minute de libre ? m'interrogea-t-elle de nouveau.

– Oui, mademoiselle.

– Voulez-vous m'aider à dévider cette pelote de laine ? Venez

75 par ici, dans ma chambre. »

Elle sortit du « salon » en me faisant un signe de tête. Je lui emboîtai le pas…

L'ameublement de la pièce où nous étions entrés était un peu mieux assorti et disposé avec plus de goût qu'au « salon ».

80 Mais, pour être tout à fait franc, c'est à peine si je le remarquais : je marchais comme un somnambule et ressentais dans tout mon être une sorte de transport joyeux frisant la sottise.

La jeune princesse prit une chaise, chercha un écheveau de laine rouge, le dénoua soigneusement, m'indiqua un siège en

85 face d'elle, et me mit la laine sur les mains tendues.

Il y avait dans tous ses gestes une lenteur amusante ; le même sourire, clair et espiègle, errait au coin de ses lèvres entrouvertes. Elle commença à enrouler la laine sur un carton plié en deux et m'illumina tout soudain d'un regard si rapide et rayonnant que

90 je baissai les yeux malgré moi. Lorsque ses yeux, généralement à moitié clos, s'ouvraient dans toute leur immensité, son visage se transfigurait instantanément, inondé d'un rai de soleil.

«Qu'avez-vous pensé de moi hier, monsieur Voldémar ? me demanda-t-elle au bout de quelque temps. Je gage que vous m'avez sévèrement jugée.

– Moi… princesse… je n'ai rien pensé du tout… comment pourrais-je me permettre de…, balbutiai-je tout désemparé.

– Écoutez-moi bien, reprit-elle. Vous ne me connaissez pas encore. Je suis très étrange. Vous avez seize ans, n'est-ce pas ? Moi, j'en ai vingt et un… Je suis beaucoup plus vieille que vous ; par conséquent, vous devez toujours me dire la vérité… et m'obéir, ajouta-t-elle. Allons, regardez-moi bien en face… Pourquoi baissez-vous tout le temps les yeux ? »

Je fus encore plus désemparé, cependant, je levai la tête. Elle souriait encore, mais d'un autre sourire, d'un sourire où il y avait de l'approbation.

«Regardez-moi bien, fit-elle en baissant la voix avec une intonation câline… Cela ne m'est pas désagréable… Votre mine me revient et je sens que nous allons devenir de grands amis… Et moi, est-ce que je vous plais ? conclut-elle, insidieuse.

– Princesse…, commençai-je.

– D'abord, appelez-moi Zinaïda Alexandrovna [1]… Ensuite, qu'est-ce que c'est que cette habitude qu'ont les enfants – elle se reprit – je veux dire les jeunes gens de cacher leurs vrais sentiments ? C'est bon pour les grandes personnes. N'est-ce pas que je vous plais ? »

J'aimais, certes, sa franchise, mais n'en fus pas moins légèrement offusqué. Afin de lui faire voir qu'elle n'avait pas affaire à un enfant, je pris – autant que cela me fut possible – un air grave et désinvolte :

«Mais oui, vous me plaisez beaucoup, Zinaïda Alexandrovna et je ne veux point le cacher. »

Elle secoua doucement la tête.

---

1. *Alexandrovna* : pour former le patronyme (voir note 1, p. 21) d'une femme, on ajoute le suffixe *ovna/evna* au prénom du père. Alexandrovna signifie donc : fille d'Alexandre.

«Avez-vous un précepteur, me demanda-t-elle à brûle-
pourpoint.

– Non, je n'en ai plus, et depuis longtemps.»

Je mentais grossièrement : un mois à peine s'était écoulé
depuis le départ du Français.

«Oh ! mais alors vous êtes tout à fait une grande personne ! »

Elle me donna une légère tape sur les doigts.

«Tenez vos mains droites ! »

Et elle se remit à enrouler la laine avec application.

Je profitai de ce qu'elle gardait les yeux baissés et l'examinai,
d'abord à la dérobée, puis de plus en plus hardiment. Son visage
me parut encore plus charmant que la veille : tout en lui était fin,
intelligent et attrayant. Elle tournait le dos à la fenêtre voilée d'un
rideau blanc ; un rai de soleil filtrait à travers le tissu et inondait
de lumière ses cheveux flous et dorés, son cou innocent, l'arrondi
de ses épaules, sa poitrine tendre et sereine. Je la contemplais et
qu'elle me devenait chère et proche ! J'avais l'impression de la
connaître depuis longtemps et de n'avoir rien su, rien vécu avant
de l'avoir vue… Elle portait une robe de couleur sombre, assez
usée, et un tablier. Et j'aurais voulu caresser doucement chaque
pli de ses vêtements. Le bout de ses souliers dépassait sous sa
robe : j'aurais voulu adorer ces souliers à genoux… Je suis assis
en face d'elle, pensais-je, j'ai fait sa connaissance… quel bonheur,
mon Dieu ! – Je faillis sauter de joie, mais réussis à me contenir et
ne fis que balancer les jambes, comme un enfant qui déguste son
dessert.

J'étais heureux comme un poisson dans l'eau, et, s'il n'avait
tenu qu'à moi, je n'aurais jamais quitté cette pièce.

Ses paupières se relevèrent délicatement ; les yeux clairs
brillèrent d'un doux éclat et elle me sourit de nouveau.

«Comme vous me regardez», fit-elle lentement en me menaçant du doigt.

Je devins cramoisi… «Elle se doute de tout, elle voit tout, me
dis-je tragiquement. D'ailleurs, pourrait-il en être autrement ? »

Subitement, on entendit un bruit dans la pièce contiguë, le cliquetis d'un sabre.

160 «Zina ! cria la princesse. Belovzorov t'a apporté un petit chat !
– Un petit chat ! » s'exclama Zinaïda.

Elle se leva d'un bond, me jeta l'écheveau sur les genoux et sortit précipitamment.

Je me levai également, posai la laine sur le rebord de la fenêtre,
165 passai au salon et m'arrêtai, stupéfait sur le pas de la porte. Un petit chat tigré était couché au milieu de la pièce, les pattes écartées ; à genoux devant lui, Zinaïda lui soulevait le museau avec précaution. À côté de sa mère, entre les deux croisées, se tenait un jeune hussard, beau garçon, les cheveux blonds et bouclés, le teint
170 rose, les yeux saillants.

«Qu'il est drôle ! répétait Zinaïda, mais ses yeux ne sont pas du tout gris, ils sont verts… et comme il a de grandes oreilles !… Merci, Victor Egorovitch… Vous êtes un amour. »

Le hussard, en qui j'avais reconnu l'un des jeunes gens de la
175 veille, sourit et s'inclina en faisant sonner ses éperons et la bélière [1] de son sabre.

«Hier, vous avez exprimé le désir d'avoir un petit chat tigré à longues oreilles. Vos désirs sont des ordres ! »

Il s'inclina de nouveau.

180 Le petit chat miaula faiblement et se mit à explorer le plancher du bout de son museau.

«Oh, il a faim ! s'écria Zinaïda… Boniface !… Sonia ! Vite, du lait ! »

Une bonne, qui portait une vieille robe jaune et un foulard
185 décoloré autour du cou, entra dans la pièce, apportant une soucoupe de lait qu'elle déposa devant la petite bête. Le chat frissonna, ferma les yeux et commença de laper.

«Comme sa langue est petite et toute rose », observa Zinaïda en baissant la tête presque au niveau du museau.

---

1. *Bélière* : anneau auquel est suspendu un sabre.

190   Le petit chat, repu, fit ronron. Zinaïda se releva et ordonna à
la bonne de l'emporter, d'un ton parfaitement indifférent.

« Votre main, pour le petit chat, sourit le hussard en cambrant
son corps d'athlète sanglé dans un uniforme flambant neuf.

– Les deux ! » répondit Zinaïda.

195   Pendant qu'il lui baisait les mains, elle me regarda par-dessus
son épaule.

Je restais planté où j'étais, ne sachant pas trop si je devais
rire, émettre une sentence ou me taire.

Tout à coup, j'aperçus par la porte entrouverte du vestibule,
200   Théodore, notre domestique, qui me faisait des signes. Je sortis,
machinalement.

« Que veux-tu ? lui demandai-je.

– Votre maman m'envoie vous chercher, répondit-il à mi-
voix… On vous en veut de n'être pas revenu apporter la réponse.

205   – Mais y a-t-il donc si longtemps que je suis ici ?

– Plus d'une heure.

– Plus d'une heure ! », répétai-je malgré moi.

Il ne me restait plus qu'à rentrer au « salon » et prendre congé.

« Où allez-vous ? me demanda la jeune princesse, en me fixant
210   toujours par-dessus l'épaule du hussard.

– Il faut que je rentre… Je vais dire que vous viendrez vers
une heure, ajoutai-je en m'adressant à sa mère.

– C'est cela, jeune homme. »

Elle sortit une tabatière et prisa si bruyamment que je sur-
215   sautai.

« C'est cela », répéta-t-elle en clignant ses yeux larmoyants et
en geignant.

Je saluai encore une fois et quittai la pièce, gêné, comme tout
adolescent qui sent qu'un regard est attaché à son dos.

220   « Revenez nous voir, monsieur Voldémar ! », cria Zinaïda, en
éclatant de rire de nouveau.

« Pourquoi rit-elle tout le temps ? », me demandais-je en rentrant en compagnie de Théodore. Le domestique marchait à

quelques pas derrière et ne disait rien, mais je sentais qu'il me
225 désapprouvait. Ma mère me gronda et demanda tout étonnée ce
que j'avais bien pu faire pendant tant de temps chez la princesse.
Je ne répondis rien et montai dans ma chambre.

Et tout soudain, je fus submergé par une immense vague de
détresse… Je retenais mes larmes prêtes à couler… J'étais affreu-
230 sement jaloux du hussard…

V

La princesse vint voir ma mère, comme elle l'avait promis.
Elle lui déplut. Je n'assistai pas à l'entretien, mais, à table,
maman déclara à mon père que cette princesse Zassekine lui
avait produit l'impression d'une femme très vulgaire[1], qu'elle
5 l'avait terriblement ennuyée avec ses sollicitations et ses prières
d'intervenir auprès du prince Serge, qu'elle avait des procès en
masse – de vilaines affaires d'argent[2] – et devait être une grande
chicanière[3]. Néanmoins, ma mère ajouta qu'elle avait invité le
lendemain, à déjeuner, la princesse et sa fille (en entendant «et
10 sa fille», je plongeai le nez dans mon assiette) et justifia cette
invitation par le fait que c'était une voisine et qu'elle avait un
nom. À cela, mon père répondit qu'il avait connu, dans sa jeunesse, le prince Zassekine, un homme très bien élevé, mais luna-
tique et sans cervelle. Ses amis l'appelaient «le Parisien» parce
15 qu'il avait fait un long séjour dans la capitale française ; extrême-
ment riche, puis ruiné au jeu, il avait épousé – on ne sut jamais
pourquoi, peut-être pour sa dot – la fille d'un magistrat (là-dessus
mon père ajouta qu'il aurait pu trouver mieux). Après le mariage,

---

1. *Une femme très vulgaire* : en français dans le texte.
2. *De vilaines affaires d'argent* : en français dans le texte.
3. *Chicanière* : personne qui cherche querelle pour des riens.

s'étant lancé dans les spéculations [1], il se serait définitivement
20 ruiné.

« Pourvu qu'elle ne vienne pas m'emprunter de l'argent ! soupira ma mère.

– Cela n'aurait rien de surprenant, observa mon père, sans
s'émouvoir. Sait-elle parler français ?

25 – Très mal.

– Hum... À vrai dire, cela n'a pas d'importance... Tu viens de
dire, je crois, que tu as invité sa fille avec elle. On m'a affirmé que
c'était une personne aimable et fort instruite.

– Tiens !... Il faut croire qu'elle ne ressemble pas à sa mère !
30 rétorqua maman.

– Ni à son père ! Celui-là avait de l'éducation, mais était
bête. »

Ma mère soupira de nouveau et devint songeuse. Mon père se
tut. Je m'étais senti terriblement gêné durant tout ce dialogue.

35   À l'issue du repas, je descendis au jardin, mais sans fusil.
Je m'étais juré de ne point m'approcher de la « palissade des
Zassekine », mais une force invisible m'y attirait – et pour cause !

À peine y étais-je parvenu que j'aperçus Zinaïda. Elle était
seule, dans un sentier, un livre à la main, pensive. Elle ne me
40 remarqua pas.

Je faillis la laisser passer, puis, me reprenant au dernier
moment, je toussotai.

Elle se retourna, mais sans s'arrêter, écarta de la main le large
ruban d'azur de son chapeau, me dévisagea, sourit doucement et
45 reprit sa lecture.

J'ôtai ma casquette et m'éloignai, le cœur gros, après
quelques instants d'hésitation.

« Que suis-je pour elle ? », me dis-je en français, je ne sais pourquoi.

---

1. Spéculations : opérations financières ou commerciales fondées sur les
variations du marché, tantôt à la hausse, tantôt à la baisse.

Un pas familier résonna derrière mon dos ; c'était mon père
50 qui me rejoignait de sa démarche légère et rapide.

« C'est la jeune princesse ? me demanda-t-il.

– Oui, c'est elle.

– Tu la connais donc ?

– Oui, je l'ai vue ce matin chez sa mère. »

55 Mon père s'arrêta net, fit brusquement demi-tour et rebroussa
chemin. Parvenu au niveau de la jeune fille, il la salua courtoise-
ment. Elle lui répondit avec une gentillesse mêlée de surprise et
lâcha son livre. Je m'aperçus qu'elle suivait mon père du regard.

Mon père était toujours vêtu avec beaucoup de recherche et de
60 distinction, alliées à une parfaite simplicité, mais jamais sa taille ne
m'avait paru aussi svelte, jamais son chapeau gris n'avait reposé
avec plus d'élégance sur ses boucles à peine clairsemées.

Je me dirigeai vers Zinaïda, mais elle ne m'accorda pas même
un regard, reprit son livre et s'éloigna.

VI

Je passai toute la soirée et toute la matinée du lendemain dans
une sorte de torpeur mélancolique. J'essayai de me mettre au
travail, ouvris le Kaïdanov [1], mais en vain : les longues phrases
et les pages du célèbre manuel défilaient devant moi, sans fran-
5 chir la barrière des yeux. Dix fois de suite, je relus cette phrase :
« Jules César se distinguait par sa vaillance au combat. » – Je n'y
comprenais goutte, aussi finis-je par renoncer. Avant le déjeuner,
je repommadai mes cheveux, passai ma petite redingote et ma
cravate neuve.

10 « Pourquoi cela ? me demanda ma mère… Tu n'es pas encore
à la Faculté et Dieu sait si tu y seras un jour… D'ailleurs, on vient

---

1. *Kaïdanov* : voir note 1, p. 24.

de te faire une veste et tu ne vas pas la quitter au bout de quelques jours.

– Mais… nous attendons des invités, balbutiai-je, la détresse au cœur.

– Quelle sottise ! Quels invités sont-ce là ? »

Il fallait m'exécuter. Je remplaçai la petite redingote par la veste, mais je gardai ma cravate.

La princesse et sa fille se présentèrent avec une bonne demi-heure d'avance. La mère avait mis un châle jaune par-dessus la robe verte que je connaissais déjà et portait, en outre, un bonnet démodé à rubans couleur feu.

Dès l'abord, elle se mit à parler de ses lettres de change, soupirant, se plaignant de sa misère, geignant à fendre le cœur et prisant son tabac aussi bruyamment que chez elle. Elle semblait avoir oublié son titre de princesse, remuait sur sa chaise, se tournait de tous les côtés et produisait sur ses hôtes un effet désastreux.

Zinaïda, au contraire, très fière et presque austère, se tenait comme une vraie princesse. Son visage était froid, immobile et grave : je ne la reconnaissais plus – ni son regard, ni son sourire, mais elle me semblait encore plus adorable sous ce nouveau jour.

Elle avait mis une robe légère, de basin [1], avec des arabesques bleu pâle ; ses cheveux descendaient en longues boucles et encadraient son visage, à l'anglaise, et cette coiffure s'accordait à ravir avec l'expression froide de ses traits. – Mon père était assis à côté d'elle et lui parlait avec sa courtoisie raffinée et sereine. De temps en temps, il la fixait, et elle le dévisageait aussi avec une expression bizarre, presque hostile. Ils s'exprimaient en français et je me souviens d'avoir été frappé par la pureté impeccable de l'accent de la jeune fille.

Quant à la vieille princesse, elle se tenait toujours avec le même sans-gêne, mangeait pour quatre et faisait des compliments sur les plats qu'on lui servait.

---

1. *Basin* : étoffe croisée dont la chaîne est de lin et la trame de coton.

Sa présence semblait importuner ma mère, qui répondait à
45 toutes ses questions avec une sorte de dédain attristé ; mon père
avait, parfois, un froncement de sourcils, à peine perceptible.

Pas plus que la vieille princesse, Zinaïda n'eut l'heur de plaire
à ma mère :

« Beaucoup trop fière, déclara-t-elle le jour suivant... Et il n'y a
50 vraiment pas de quoi, avec sa mine de grisette [1].

– Tu n'as probablement jamais vu de grisettes, lui rétorqua
mon père.

– Dieu m'en garde !... Je ne me porte pas plus mal pour cela !...

– Tu ne t'en portes pas plus mal, c'est certain... mais alors
55 comment se fait-il que tu croies pouvoir en juger ? »

Durant tout le repas, Zinaïda n'avait pas daigné faire la
moindre attention à ma pauvre personne. Peu après le dessert,
sa mère commença à faire ses adieux.

« Je compte sur votre protection, Maria Nicolaïévna et Piotr
60 Vassiliévitch, fit-elle en s'adressant à mes parents d'une voix traî-
nante... Que voulez-vous ? Finis les beaux jours ! Je porte le titre
de princesse, ajouta-t-elle avec un ricanement désagréable, mais à
quoi cela m'avance-t-il, je vous le demande, si j'ai l'estomac vide ? »

Mon père la salua cérémonieusement et la reconduisit jusqu'à
65 la porte de l'antichambre. Je me tenais à côté de lui, avec ma veste
étriquée, les yeux fixés au sol, comme un condamné à mort. La
façon dont Zinaïda m'avait traité m'avait complètement anéanti.
Quel ne fut donc pas mon étonnement lorsque, en passant devant
moi, elle me souffla rapidement, le regard câlin : « Venez chez nous
70 à huit heures. Vous m'entendez, venez sans faute »... J'ouvris les
bras tout grands, de stupéfaction, mais elle était déjà partie, après
avoir jeté un fichu blanc sur ses cheveux.

---

1. *Avec sa mine de grisette* : en français dans le texte.

VII

À huit heures précises, vêtu de ma petite redingote et les cheveux en coque [1], je me présentais dans le vestibule du pavillon de la
princesse. Le vieux majordome me dévisagea d'un œil morne et ne
montra qu'un piètre empressement à se lever de sa banquette. Des
5 voix joyeuses me parvenaient du salon. J'ouvris la porte et reculai,
stupéfait. Zinaïda se tenait debout, sur une chaise, au beau milieu
de la pièce, tenant un haut-de-forme ; cinq hommes faisaient cercle
autour d'elle, essayant de plonger la main dans le chapeau qu'elle
soulevait toujours plus haut, en le secouant énergiquement.

10   Quand elle m'aperçut, elle s'écria aussitôt :

«Attendez, attendez! Voici un nouveau convive!... Il faut lui
donner aussi un petit papier !»

Et, quittant sa chaise d'un bond, elle s'approcha de moi et me
tira par la manche :

15   «Venez donc!... Pourquoi restez-vous là? Mes amis, je vous
présente M. Voldémar, le fils de notre voisin. Et ces messieurs que
vous voyez sont : le comte Malevsky, le docteur Louchine, le poète
Maïdanov, le capitaine en retraite Niematzky, et Belovzorov, le
hussard que vous avez déjà vu hier. J'espère que vous allez vous
20 entendre avec eux.»

Dans ma confusion, je n'avais salué personne. Le docteur
Louchine n'était autre que l'homme brun qui m'avait infligé une
si cuisante leçon, l'autre jour, au jardin. Je ne connaissais pas les
autres.

25   «Comte! reprit Zinaïda, préparez donc un petit papier pour
M. Voldémar.»

---

1. *Cheveux en coque* : cheveux relevés en forme de coque d'œuf.

Le comte était un joli garçon, tiré à quatre épingles, avec des cheveux noirs, des yeux bruns très expressifs, un nez mince et une toute petite moustache, surmontant des lèvres minuscules.

30 « Cela n'est pas juste, objecta-t-il : monsieur n'a pas joué aux gages avec nous.

– Bien sûr », convinrent en chœur Belovzorov et celui qui m'avait été présenté comme capitaine en retraite.

Âgé de quelque quarante ans, le visage fortement marqué de 35 petite vérole, il avait les cheveux frisés, comme un Arabe, les épaules voûtées, les jambes arquées. Il portait un uniforme sans épaulettes et déboutonné.

« Préparez le papier, puisque je vous l'ai dit, répéta la jeune fille… Qu'est-ce que c'est que cette mutinerie ? C'est la première 40 fois que nous recevons M. Voldémar dans notre compagnie, et il ne sied pas de lui appliquer la loi avec trop de rigueur. Allons, ne ronchonnez pas. Écrivez. Je le veux ! »

Le comte ébaucha un geste désapprobateur, mais baissa docilement la tête, prit une plume dans sa main blanche, aux doigts 45 couverts de bagues, arracha un morceau de papier et se mit à écrire.

« Permettez au moins que nous expliquions le jeu à M. Voldémar, intervint Louchine, sarcastique… Car il a complètement perdu le nord… Voyez-vous, jeune homme, nous jouons 50 aux gages : la princesse est à l'amende et celui qui tirera le bon numéro aura le droit de lui baiser la main. Vous avez saisi ? »

Je lui jetai un vague coup d'œil, mais restai planté, immobile, perdu dans un rêve nébuleux. Zinaïda sauta de nouveau sur sa chaise et se remit à agiter le chapeau. Les autres se pressèrent 55 autour d'elle et je fis comme eux.

« Maïdanov ! dit Zinaïda à un grand jeune homme, au visage maigre, aux petits yeux de myope et aux cheveux noirs exagérément longs… Maïdanov, vous devriez faire acte de charité et céder votre petit papier à M. Voldémar, afin qu'il ait deux chances au 60 lieu d'une. »

Maïdanov fit un signe de tête négatif, et agita les cheveux.

Je plongeai la main le dernier dans le chapeau, pris le billet, le dépliai… Oh ! mon Dieu : un baiser ! Je ne saurais vous dire ce que j'éprouvai en lisant ce mot.

65 « Un baiser ! m'exclamai-je malgré moi.

– Bravo !… Il a gagné ! applaudit la princesse… J'en suis ravie ! »

Elle descendit de la chaise et me regarda dans les yeux avec tant de douce clarté que mon cœur tressaillit.

70 « Et vous, êtes-vous content ? me demanda-t-elle.

– Moi…, balbutiai-je.

– Vendez-moi votre billet, me chuchota Belovzorov. Je vous en donne cent roubles. »

Je lui répondis par un regard tellement indigné que Zinaïda
75 applaudit et Louchine cria :

« Bien fait !

– Pourtant, poursuivit-il, en ma qualité de maître des cérémonies, je dois veiller à la stricte observance de toutes les règles. Monsieur Voldémar, mettez un genou en terre : c'est le règlement. »

80 Zinaïda s'arrêta en face de moi, en penchant la tête de côté, comme pour mieux me voir, et me tendit gravement la main. Je n'y voyais pas clair… Je voulus mettre un genou en terre, mais tombai à deux genoux et portai si maladroitement les lèvres à la main de la jeune fille que son ongle m'égratigna le bout du nez.

85 « Parfait ! », s'écria Louchine en m'aidant à me relever.

On se remit à jouer aux gages. Zinaïda me fit asseoir à côté d'elle.

Quelles amendes saugrenues n'inventait-elle pas ! Une fois, elle fit, elle-même, la « statue » et, choisissant pour piédestal le
90 laid Nirmatzky, elle l'obligea à se coucher face contre terre et à cacher, de plus, son visage dans sa poitrine.

Nous ne cessions de rire aux éclats. Tout ce bruit, ce vacarme, cette joie tapageuse et presque indécente, ces rapports inattendus avec des personnes que je connaissais à peine – tout cela

95 produisit sur moi une impression considérable, d'autant plus que
j'avais reçu une éducation très stricte, isolé des autres, dans une
maison de grands seigneurs très collet monté. Je me sentais ivre
sans avoir bu. Je riais et criais plus fort que les autres, si bien que
la vieille princesse, qui recevait à côté un homme de loi de la
100 porte d'Ibérie [1], convoqué en consultation, se montra à la porte
et me regarda sévèrement.

Mais j'étais si parfaitement heureux qu'il ne m'importait guère
d'être ridicule ou mal vu. Zinaïda continuait à me favoriser et me
gardait auprès d'elle. L'un des «pensums» voulut que je restasse
105 avec elle, sous un châle, afin de lui confesser mon «secret». Nos
deux visages se trouvèrent tout à coup isolés du reste du monde,
enveloppés dans une obscurité étouffante, opaque, parfumée;
ses yeux brillaient comme deux étoiles dans cette pénombre; ses
lèvres entrouvertes exhalaient leur tiédeur, découvrant ses dents
110 blanches; ses cheveux me frôlaient, me brûlaient. Je me taisais.
Elle me souriait d'un air énigmatique et moqueur. En fin de
compte, elle me souffla:

«Eh bien?»

Las! je ne pouvais que rougir, ricaner, me détourner en respi-
115 rant péniblement.

Le jeu des gages finit par ennuyer, et l'on passa à celui de la
ficelle. Mon Dieu, quelle ne fut pas ma joie quand elle me frappa
fortement sur les doigts, pour me punir d'un moment de distrac-
tion… Après cela, je feignis exprès d'être dans les nuages, mais
120 elle ne me toucha plus les mains que je tendais et se contenta de
me taquiner!

Que n'avons-nous pas imaginé au cours de cette soirée: piano,
chants, danses, fête tzigane. On déguisa Nirmatzky en ours et on

---

1. *La porte d'Ibérie*: elle était située à l'entrée de l'actuelle place Rouge à
côté d'une chapelle très célèbre. Au XIXe siècle, des juristes se tenaient près
de la porte d'Ibérie, pour donner des consultations ou rédiger des papiers
officiels. La porte et la chapelle ont été détruites peu après la révolution, en
1920.

lui fit boire de l'eau salée. Le comte Malevsky fit le prestidigitateur
avec un jeu de cartes ; après quoi, ayant battu le jeu, il nous le
distribua comme pour une partie de whist, mais en s'arrangeant
pour se donner tous les atouts. Là-dessus, Louchine annonça qu'il
avait « l'honneur de l'en féliciter ». Maïdanov nous déclama des
extraits de son dernier poème, *L'Assassin* (l'on était en plein
romantisme). Il se proposait de le publier avec une couverture
noire et le titre formé de lettres rouge sang. Nous volâmes le
chapeau de l'homme de loi et l'obligeâmes à nous exécuter une
danse russe en guise de rançon. Le vieux Boniface fut obligé de
s'affubler d'un bonnet de femme, tandis que Zinaïda se coiffait
d'un chapeau d'homme… Et d'ailleurs je renonce à vous énumé-
rer toutes les fantaisies qui nous passaient par la tête… Seul,
Belovzorov se tenait renfrogné dans un coin et ne dissimulait pas
sa mauvaise humeur… Par moments, ses yeux s'injectaient de
sang ; il devenait cramoisi et semblait prêt à se jeter au milieu de
nous pour nous faire chavirer comme des quilles. Mais il suffisait
que notre hôtesse le regardât sévèrement et le menaçât du doigt
pour qu'il se retirât de nouveau dans sa solitude.

À la fin, nous étions à bout de souffle et la vieille princesse
elle-même – qui nous avait déclaré tout à l'heure qu'elle était
infatigable et que le vacarme le plus bruyant ne la dérangeait
pas – reconnut qu'elle était lasse.

Le souper fut servi passé onze heures. Il se composait d'un
bout de fromage complètement desséché et de friands froids que
je trouvai plus délicieux que tous les pâtés du monde. Il n'y avait
qu'une seule bouteille de vin, et fort bizarre en vérité : elle était
presque noire, avec un goulot évasé et contenait un vin qui sentait la peinture à l'huile. Personne n'en prit.

Je pris congé, heureux et las. En me disant adieu, Zinaïda me
serra de nouveau la main très fort et avec un sourire énigmatique.

Le souffle lourd et moite de la nuit fouettait mes joues en feu.
L'air était à l'orage. Des nuages sombres s'amoncelaient au ciel,
se déplaçaient lentement, modifiant à vue d'œil leurs contours

fugaces. Une brise légère faisait frémir d'inquiétude les arbres noirs. Quelque part au loin, le tonnerre grondait, sourd et courroucé.

160 Je me faufilai dans ma chambre par l'entrée de service. Mon domestique dormait sur le parquet, et il me fallut l'enjamber. Il se réveilla, m'aperçut et m'annonça que ma mère, très en colère contre moi, avait voulu envoyer me chercher, mais mon père l'avait retenue.

165 Je ne me couchais jamais avant d'avoir souhaité une bonne nuit à maman et reçu sa bénédiction. Ce soir-là, il était manifestement trop tard.

Je déclarai au domestique que j'étais parfaitement capable de me déshabiller et de me coucher seul et soufflai ma chandelle.

170 En réalité, je m'assis sur une chaise et restai longtemps immobile, comme sous l'effet d'un charme. Ce que j'éprouvais était si neuf, si doux… Je ne bougeais pas, regardant à peine autour de moi, la respiration lente. Tantôt, je riais tout bas en évoquant un souvenir récent, tantôt je frémissais en songeant que j'étais amoureux et que
175 c'était bien cela, l'amour. Le beau visage de Zinaïda surgissait devant mes yeux, dans l'obscurité, flottait doucement, se déplaçait, mais sans disparaître. Ses lèvres ébauchaient le même sourire énigmatique, ses yeux me regardaient, légèrement à la dérobée, interrogateurs, pensifs et câlins… comme à l'instant des adieux. Finalement
180 je me levai, marchai jusqu'à mon lit, sur la pointe des pieds, en évitant tout mouvement brusqué, comme pour ne pas brouiller l'image, et posai ma tête sur l'oreiller, sans me dévêtir…

Puis, je me couchai, mais sans fermer les yeux et m'aperçus bientôt qu'une pâle clarté pénétrait dans ma chambre. Je me sou-
185 levai pour jeter un coup d'œil à travers la croisée. Le cadre de la fenêtre se détachait nettement des vitres qui avaient un éclat mystérieux et blanchâtre. «C'est l'orage», me dis-je. C'en était un effectivement, mais tellement distant qu'on n'entendait même pas le bruit du tonnerre. Seuls, de longs éclairs blêmes zigzaguaient
190 dans le ciel, sans éclater et en frissonnant comme l'aile d'un grand oiseau blessé…

Je me levai et m'approchai de la croisée. J'y restai jusqu'au petit jour... Les éclairs ne cessèrent pas un instant : c'était une véritable nuit de moineaux [1], comme disent les gens du peuple...
195 Immobile et muet, je contemplais l'étendue sablonneuse, la masse sombre du jardin Neskoutchny, les façades jaunâtres des maisons, qui semblaient tressaillir aussi à chaque éclair.

Je contemplais ce tableau et ne pouvais en détacher mon regard : ces éclairs muets et discrets s'accordaient parfaitement
200 avec les élans secrets de mon âme.

L'aube commençait à poindre, en taches écarlates. Les éclairs pâlissaient et diminuaient à l'approche du soleil. Leur frisson se faisait de plus en plus espacé : ils disparurent enfin, submergés par la lumière sereine et franche du jour naissant...
205 Et dans mon âme aussi, l'orage se tut, j'éprouvais une lassitude infinie et un grand apaisement... mais l'image triomphante de Zinaïda me hantait encore. Elle semblait plus sereine, à présent, et se détachait de toutes les visions déplaisantes, comme le cygne élève son cou gracieux par-dessus les herbes du marécage.
210 Au moment de m'endormir, je lui envoyai encore un baiser rempli de confiante admiration...

Sentiments timides, douce mélodie, franchise et bonté d'une âme qui s'éprend, joie languide des premiers attendrissements de l'amour, où êtes-vous ?

VIII

Le lendemain matin, lorsque je descendis pour le thé, ma mère me gronda – moins fort, pourtant, que je ne m'y attendais – et me demanda de lui dire comment j'avais passé la soirée de la veille. Je lui répondis brièvement, en omettant de nombreux détails,
5 m'efforçant de donner à l'ensemble un caractère tout à fait anodin.

---

1. *Nuit de moineaux* : nuit orageuse d'été avec éclairs et coups de tonnerre.

«Tu as beau dire, ce ne sont pas des gens comme il faut[1], conclut ma mère… Et tu ferais mieux de préparer tes examens que d'aller chez eux. »

Comme je savais que tout l'intérêt que maman portait à mes
10 études se bornerait à cette phrase, je ne crus pas utile de lui répondre. Mon père, lui, me prit par le bras sitôt après le thé, m'entraîna au jardin et me demanda de lui faire un récit détaillé de tout ce que j'avais vu chez les Zassekine.

Quelle étrange influence il exerçait sur moi, et comme nos
15 relations étaient bizarres ! Mon père ne s'occupait pratiquement pas de mon éducation, ne m'offensait jamais et respectait ma liberté. Il était même «courtois» avec moi, si l'on peut dire… mais me tenait ostensiblement à l'écart. Je l'aimais, je l'admirais, faisais de lui mon idéal et me serais passionnément attaché à lui
20 s'il ne m'avait repoussé tout le temps. En revanche, quand il le voulait, il était capable de m'inspirer une confiance sans bornes, d'un seul mot, d'un geste ; mon âme s'ouvrait à lui, comme à un ami plein de bon sens et à un professeur indulgent… Et puis, subitement, sa main me repoussait, sans brusquerie, certes, mais,
25 tout de même, elle me repoussait.

Il lui arrivait d'avoir de véritables accès de joie ; alors, il était prêt à faire le fou avec moi, à s'amuser comme un collégien (en général, mon père aimait tous les exercices violents) ; un jour – un jour seulement ! – il me caressa avec tant de tendresse que
30 je faillis fondre en larmes… Malheureusement, sa gaieté et son affection s'évanouissaient rapidement et sans laisser de traces et notre entente passagère ne me laissait rien espérer pour l'avenir, comme si je n'avais vu tout cela qu'en rêve.

Quelquefois, je contemplais son beau visage, intelligent et
35 ouvert… mon cœur tressaillait, et tout mon être s'élançait vers lui… il me récompensait d'une caresse, au passage, comme s'il s'était douté de ce que je ressentais, et s'en allait, s'occupait

---

1. *Comme il faut* : en français dans le texte.

d'autre chose, affectait une froideur dont lui seul possédait le
secret; et moi, de mon côté, je me repliais, me recroquevillais,
40 me glaçais.

Ses rares accès de tendresse n'étaient jamais provoqués par
ma supplication muette, mais se produisaient spontanément et
toujours à l'improviste. En réfléchissant, plus tard, à son caractère, j'ai abouti à la conclusion suivante : mon père ne s'intéres-
45 sait pas plus à moi-même qu'à la vie de famille, en général ; il
aimait autre chose, et cela, il réussit à en jouir à fond.

«Prends ce que tu peux, mais ne te laisse jamais prendre ;
n'appartenir qu'à soi-même, être son propre maître, voici tout le
secret de la vie», me dit-il un jour.

50 Une autre fois, comme je m'étais lancé dans une discussion sur
la liberté, en jeune démocrate que j'étais alors (cela se passait un
jour que mon père était, comme j'appelais cela, «bon» et qu'on
pouvait lui parler de n'importe quoi), il me répliqua vertement :

«La liberté? Mais sais-tu seulement ce qui peut la donner à
55 l'homme?

– Quoi donc?

– Sa volonté, ta volonté. Si tu sais t'en servir, elle te donnera
mieux encore : le pouvoir. Sache vouloir et tu seras libre, et pourras commander.»

60 Par-dessus toute chose, mon père voulait jouir de la vie, et l'a
fait... Peut-être aussi avait-il le pressentiment de n'en avoir pas
pour longtemps : le fait est qu'il mourut à quarante-deux ans.

Je lui racontai tout le détail de ma visite chez les Zassekine. Il
m'écouta, tour à tour attentif et distrait, en dessinant des ara-
65 besques sur le sable du bout de sa cravache. Parfois, il avait un
petit rire amusé et m'encourageait d'une question brève ou d'une
objection. Au début, je n'osai même pas prononcer le nom de
Zinaïda, mais, au bout de quelque temps, je n'y tins plus et me
mis à faire d'elle un éloge enthousiaste. Mon père souriait tou-
70 jours. Puis il devint songeur, s'étira et se leva.

Je me rappelai qu'avant de sortir, il avait ordonné qu'on selle son cheval. C'était un cavalier émérite, capable de dompter les bêtes les plus impétueuses.

« Je t'accompagne, père ?

75 – Non, répondit-il, et son visage reprit son expression accoutumée d'indifférente douceur. Vas-y seul, si tu veux ; moi, je vais dire au cocher que je reste. »

Il me tourna le dos et s'éloigna à grands pas. Je le suivis du regard. Il disparut derrière la palissade. J'aperçus son chapeau qui
80 se déplaçait le long de la palissade. Il entra chez les Zassekine.

Il n'y resta guère plus d'une heure, mais aussitôt après cette visite, il partit en ville et ne rentra que dans la soirée.

Après le déjeuner, je me rendis moi-même chez les Zassekine. La vieille princesse était seule, au « salon ». En me voyant, elle se
85 gratta la tête, sous le bonnet, avec son aiguille à tricoter, et me demanda à brûle-pourpoint si je pouvais lui recopier une requête.

« Avec plaisir, répondis-je, en m'asseyant sur une chaise, tout à fait sur le rebord.

– Seulement, tâchez d'écrire gros, fit la princesse en me tendant
90 une feuille gribouillée par elle. Pouvez-vous me le faire aujourd'hui même ?

– Certainement, princesse. »

La porte de la pièce voisine s'entrouvrit légèrement et le visage de Zinaïda apparut dans l'encadrement, un visage pâle, pensif,
95 les cheveux négligemment rejetés en arrière. Elle me regarda froidement de ses grands yeux gris et referma doucement la porte.

« Zina !… Zina !… », appela la vieille princesse.

Elle ne répondit pas.

J'emportai la requête et passai toute la soirée à la recopier.

IX

Ma « passion » date de ce jour-là. Je me souviens d'avoir éprouvé un sentiment fort analogue à ce que doit vivre un homme qui vient d'obtenir son premier emploi : je n'étais plus simplement un jeune garçon, j'étais amoureux.

5 Ma passion date de ce jour-là, ai-je dit ; je pourrais ajouter qu'il en est de même pour ma souffrance.

J'étais malheureux quand Zinaïda n'était pas là : j'avais la tête vide, tout me tombait des mains et je passais mes journées à penser à elle… J'étais malheureux loin d'elle, ai-je dit… Mais je ne me 10 sentais pas mieux en sa présence… Dévoré de jalousie, conscient de mon insignifiance, je me vexais pour un rien et adoptais une attitude sottement servile. Et pourtant, une force invincible me poussait vers le petit pavillon, et, malgré moi, je tressaillais de bonheur en franchissant le pas de « sa » porte.

15 Zinaïda s'aperçut très vite que je l'aimais : d'ailleurs, je ne m'en cachais pas. Elle en fut amusée et commença à rire de ma passion, à me mener par le bout du nez, à me faire goûter les pires supplices. Quoi de plus agréable que de sentir que l'on est la source unique, la cause arbitraire et irresponsable des joies et des mal-20 heurs d'autrui ?… C'était précisément ce qu'elle faisait, et moi, je n'étais qu'une cire molle entre ses doigts cruels.

Remarquez, toutefois, que je n'étais pas seul à être amoureux d'elle : tous ceux qui l'approchaient étaient littéralement fous d'elle, et elle les tenait, en quelque sorte, en laisse, à ses pieds. 25 Tour à tour, elle s'amusait à leur inspirer l'espoir et la crainte, les obligeait à agir comme des marionnettes et selon son humeur du moment (elle appelait cela « faire en sorte que les hommes se heurtent les uns aux autres ») ; ils ne songeaient même pas à résister et se soumettaient volontiers à tous ses caprices.

³⁰ Sa beauté et sa vivacité constituaient un mélange curieux et fascinant de malice et d'insouciance, d'artifice et d'ingénuité, de calme et d'agitation. Le moindre de ses gestes, ses paroles les plus insignifiantes dispensaient une grâce charmante et douce, alliée à une force originale et enjouée. Son visage changeant
³⁵ trahissait presque en même temps l'ironie, la rêverie et la passion. Les sentiments les plus divers, aussi rapides et légers que l'ombre des nuages par un jour de soleil et de vent, passaient sans cesse dans ses yeux et sur ses lèvres.

Zinaïda avait besoin de chacun de ses admirateurs.
⁴⁰ Belovzorov, qu'elle appelait parfois «ma grosse bête» ou «mon Belovzorov» tout court, aurait consenti à se jeter au feu pour elle. Ne se fiant pas trop à ses propres facultés intellectuelles, ni à ses autres qualités, il lui offrait tout bonnement de l'épouser, en insinuant qu'aucun des autres prétendants n'aspirait à la même issue.
⁴⁵ Maïdanov répondait aux penchants poétiques de son âme. C'était un homme assez froid, comme beaucoup d'écrivains ; à force de lui répéter qu'il l'adorait, il avait fini, lui-même, par y croire. Il la chantait dans des vers interminables qu'il lui lisait dans une sorte d'extase délirante, mais parfaitement sincère.
⁵⁰ Zinaïda compatissait à ses illusions, mais se moquait de lui, ne le prenait pas trop au sérieux et, après avoir écouté ses épanchements, lui demandait invariablement de réciter du Pouchkine, «histoire de s'aérer un peu», disait-elle…

Le docteur Louchine, personnage caustique et plein d'ironie, la
⁵⁵ connaissait et l'aimait mieux qu'aucun de nous – ce qui ne l'empêchait jamais de médire d'elle, en son absence comme en sa présence. Elle l'estimait, mais ne lui passait rien et prenait une sorte de plaisir sadique à lui faire sentir que lui aussi n'était qu'une marionnette dont elle tirait les ficelles.
⁶⁰ «Moi, je suis une coquette, une sans-cœur, affligée d'un tempérament de comédienne, lui déclara-t-elle un jour en ma présence… Et vous, vous prétendez être un homme franc… Nous allons voir cela. Donnez-moi votre main, je vais y enfoncer une

épingle… Vous aurez honte devant ce jeune homme, vous aurez
65 mal, mais vous n'en laisserez rien paraître… Vous en rirez, n'est-
ce pas, monsieur la Franchise ?… Du moins, je vous l'ordonne ! »

Louchine rougit et se mordit les lèvres, se détourna, mais finit
par tendre la main. Elle piqua l'épingle. Il se mit à rire, effectivement… elle riait aussi, et enfonçait la pointe toujours plus profon-
70 dément dans sa chair, en le fixant dans les yeux… Il évitait son
regard…

Ce que j'avais le plus de mal à comprendre, c'étaient les relations de Zinaïda et du comte Malevsky. Certes, il était beau garçon, adroit, spirituel ; pourtant même moi, qui n'avais que seize
75 ans, je discernais en lui quelque chose de faux et de malsain. Je
m'étonnais que la jeune fille ne s'en aperçût point. Peut-être s'en
apercevait-elle, mais sans en être affectée ? Son éducation négligée, ses fréquentations et ses habitudes étranges, la présence
constante de sa mère, la pauvreté et le désordre de la maison,
80 tout cela, à commencer par la liberté dont elle jouissait et la
conscience de sa supériorité sur son entourage, tout cela, dis-je,
avait développé chez elle une sorte de désinvolture pleine de
mépris et un manque d'exigence morale. Quoi qu'il arrive :
Boniface annonçant qu'il ne restait plus de sucre, méchants can-
85 cans, brouille entre ses invités, elle se contentait de secouer ses
boucles avec insouciance et de s'exclamer :

« Bah ! quelle sottise ! »

J'étais sur le point de voir rouge toutes les fois que Malevsky
s'approchait d'elle de son allure de renard rusé, s'appuyait avec
90 grâce sur le dossier de sa chaise et lui parlait à l'oreille avec un
sourire prétentieux ; elle le regardait fixement, les bras croisés, en
secouant doucement la tête, et lui rendait son sourire.

« Quel plaisir avez-vous à recevoir ce monsieur Malevsky ? lui
demandai-je un jour.

95 – Oh ! il a un amour de petite moustache ! répliqua-t-elle. Et
puis, à parler franc, vous n'y comprenez rien.

– Croyez-vous donc que je l'aime ? me dit-elle une autre fois. Je ne peux pas aimer une personne que je regarde de haut en bas… Il me faudrait quelqu'un qui soit capable de me faire plier, de me dompter… Dieu merci, je ne le rencontrerai jamais !… Je ne me laisserai pas prendre ! Oh non !

– Alors, vous n'aimerez jamais personne ?

– Et vous ? Est-ce que je ne vous aime pas ? », s'exclama-t-elle en me donnant une tape sur le bout du nez avec son gant.

Eh oui, elle se divertissait beaucoup à mes dépens. Que ne m'a-t-elle pas fait faire durant les trois semaines où je la vis chaque jour ! Il était rare qu'elle vînt chez nous, et je ne m'en plaignais pas outre mesure, car, à peine entrée, elle prenait ses airs de demoiselle, de princesse, et je me sentais terriblement intimidé.

Je craignais de me trahir devant ma mère : Zinaïda lui était très antipathique et elle nous épiait avec aigreur. Je redoutais moins mon père : il affectait de ne pas faire attention à moi ; quant à Zinaïda, il lui parlait peu, mais avec infiniment d'esprit et de sérieux.

Je ne travaillais plus, ne lisais plus, n'allais même plus me promener aux alentours de la villa et avais oublié mon cheval. Comme un hanneton qui aurait un fil à la patte, je tournais autour du petit pavillon, prêt à y passer toute mon existence… mais cela ne me réussissait pas : ma mère ronchonnait sans arrêt et Zinaïda me renvoyait parfois elle aussi. Alors, je m'enfermais à clef ou m'en allais tout au fond du parc ; là, je montais sur le haut mur de pierre d'une serre abandonnée et restais des heures durant à contempler la rue, les jambes ballantes, regardant sans rien voir. Des papillons blancs voltigeaient paresseusement sur des orties poussiéreuses, tout près de moi ; un moineau enjoué se posait sur une brique à moitié cassée, piaillait d'une voix irritée, sautillait sur place et déployait sa petite queue ; encore méfiants, les corbeaux croassaient parfois au sommet d'un bouleau dénudé ; le soleil et le vent jouaient en silence dans ses branches clairsemées ;

morne et serein, le carillon du monastère Donskoï[1] résonnait au loin. Et moi, je restais toujours là à regarder, à écouter, à me remplir d'un sentiment ineffable, fait à la fois de détresse et de joie, de désirs et de pressentiments, de vagues appréhensions... Je 135 ne comprenais rien et n'aurais pu donner aucun nom précis à ce qui vibrait en moi... Ou plutôt si, j'aurais pu l'appeler d'un seul nom – celui de Zinaïda.

Quant à la jeune princesse, elle continuait à s'amuser de moi comme le chat d'une souris. Tantôt elle était coquette, et je me 140 sentais fondre dans une allégresse trouble, tantôt elle me repoussait, et je n'osais plus l'approcher ni même la contempler de loin.

Depuis plusieurs jours, elle se montrait particulièrement froide à mon égard, et, complètement découragé, je ne faisais plus au pavillon que des apparitions courtes et furtives, m'efforçant de 145 tenir compagnie à la vieille princesse, bien que celle-ci fût également d'une humeur massacrante, pestant et criant pis que de coutume : ses affaires de lettres de change n'avaient pas l'air de s'arranger et elle avait eu déjà deux explications avec le commissaire de police.

150 Une fois, je rasais la palissade que vous connaissez bien, lorsque j'aperçus Zinaïda, assise dans l'herbe, appuyée sur son bras, complètement immobile. Je fus sur le point de m'éloigner sur la pointe des pieds, mais elle leva brusquement la tête et me fit un signe impératif. Je restai comme pétrifié, ne comprenant pas, 155 sur le moment, ce qu'elle voulait de moi. Elle répéta son geste. Je sautai par-dessus la palissade et m'approchai d'elle en courant, tout joyeux ; elle m'arrêta du regard en m'indiquant le sentier, à

---

1. *Le monastère Donskoï* : il a été fondé en 1592 au sud de Moscou, à l'endroit où l'armée russe avait, l'année précédente, battu les Tatars (Mongols). L'adjectif « Donskoï » signifie : « du Don ». Le Don est un fleuve russe qui coule du nord au sud et se jette dans la mer d'Azov. L'armée russe s'était placée sous la protection de la Vierge du Don avant la bataille. Ce monastère qui avait été transformé en musée pendant la période soviétique a été rendu à l'Église.

deux pas d'elle. Confus et ne sachant plus quoi faire, je m'age-
nouillai au bord du chemin. La jeune fille était si pâle, si amère-
160 ment triste, si profondément lasse, que mon cœur se serra et,
malgré moi, je balbutiai :

« Qu'avez-vous ? »

Elle tendit la main, arracha une brindille, la mordilla et la jeta
au loin.

165 « Vous m'aimez beaucoup ? me demanda-t-elle enfin… Oui ? »

Je ne répondis rien ; à quoi bon ?

« Oui, oui…, reprit-elle, en me dévisageant. Les mêmes yeux… »

Pensive, elle se cacha le visage à deux mains.

« … Tout me dégoûte, poursuivit-elle… Je voudrais être au
170 bout du monde… Je ne peux pas supporter cela… Je ne peux pas
m'y habituer… Et l'avenir, qu'est-ce qu'il me réserve ?… Ah ! je
suis si malheureuse… Mon Dieu, comme je suis malheureuse !

– Pourquoi ? », fis-je timidement.

Elle haussa les épaules sans répondre. J'étais toujours à genoux
175 et la regardais avec une détresse infinie. Chacune de ses paroles
m'avait percé le cœur. J'étais prêt à donner ma vie pour qu'elle ne
souffre plus… Ne comprenant pas pourquoi elle était si malheureuse, je me l'imaginais se relevant d'un bond, fuyant au fond du
jardin et s'affaissant tout à coup, terrassée par la douleur… Autour
180 de nous, tout était vert et lumineux ; le vent bruissait dans les
feuilles des arbres et agitait parfois une longue tige de framboisier
au-dessus de la tête de Zinaïda. Des pigeons roucoulaient quelque
part et les abeilles bourdonnaient en rasant l'herbe rare. Au-dessus
de nos têtes, un ciel tendre et bleu… et moi j'étais si triste…

185 « Récitez-moi des vers, reprit Zinaïda en s'accoudant sur
l'herbe. J'aime à vous entendre. On dirait que vous chantez,
mais peu importe, cela fait jeune… Récitez-moi *Sur les collines
de Géorgie*[1]. Mais asseyez-vous d'abord. »

----

1. *Sur les collines de Géorgie* : court poème de Pouchkine écrit en 1829,
au cours d'un voyage dans le Caucase. La Géorgie est aujourd'hui un État
indépendant, membre de la CEI.

Je m'exécutai.

190 « "Et de nouveau mon cœur s'embrase ; il aime, ne pouvant pas ne plus aimer…", répéta la jeune fille. C'est cela la vraie beauté de la poésie : au lieu de parler de ce qui est, elle chante quelque chose qui est non seulement plus beau que le réel, mais même plus proche de la vérité… Ne pouvant pas ne plus aimer…
195 Il le voudrait, mais il ne peut… »

Elle se tut de nouveau, puis se leva d'un bond.

« Venez, Maïdanov est chez ma mère. Il m'a apporté son poème, et moi, je l'ai laissé tomber… Lui aussi doit avoir du chagrin… que faire !… Un jour, vous saurez tout… surtout, ne
200 m'en veuillez pas ! »

Elle me serra vivement la main et partit en courant. Nous pénétrâmes dans le pavillon. Maïdanov se mit incontinent à déclamer son poème *L'Assassin* qui venait d'être publié. Je ne l'écoutais pas. Il débitait ses iambes [1] de quatre pieds d'une voix chantante, les
205 rimes se succédaient avec une sonorité de grelots vides et bruyants. Je regardais Zinaïda et essayais de saisir le sens de ses dernières paroles.

> *Ou bien quelque rival secret*
> *T'a-t-il subitement séduite ?*

210 s'exclama soudain Maïdanov de sa voix nasale, et mes yeux croisèrent ceux de la jeune fille. Elle baissa les siens et rougit légèrement. Mon sang se glaça. J'étais jaloux depuis longtemps, mais à cet instant une idée fulgurante transperça tout mon être : « Mon Dieu ! Elle aime ! »

---

1. *Iambes* : vers que l'on retrouve fréquemment dans la poésie russe. Comme la langue, la poésie donne une grande importance à l'accent tonique. C'est la place des accents toniques qui détermine le rythme d'un vers. Dans un iambe, le rythme est binaire, on retrouve l'accent tonique sur le deuxième pied, puis sur le quatrième, le sixième, etc.

X

Dès lors, mon vrai supplice commença. Je me creusais la tête, méditais, ruminais et surveillais Zinaïda à toute heure de la journée, en me cachant de mon mieux. Elle avait beaucoup changé, cela ne faisait pas l'ombre d'un doute. Durant de longues heures, je la voyais se promener toute seule. Ou bien, elle ne se montrait pas aux visiteurs et restait dans sa chambre pendant des heures, chose qui ne lui était encore jamais arrivée.

Je devins extraordinairement perspicace, du moins le croyais-je. «Est-ce lui?... Ou bien lui?», me demandais-je, inquiet, en passant en revue tous ses admirateurs. Le comte Malevsky me semblait le plus dangereux de tous (mais j'avais honte pour Zinaïda de me l'avouer).

Ma perspicacité n'allait pas plus loin et, d'ailleurs, mon secret n'était un mystère pour personne; en tout cas, le docteur Louchine eut tôt fait de le deviner. À dire vrai, lui aussi avait beaucoup changé depuis quelque temps: il avait maigri, et son rire devenait plus méchant, plus bref, plus saccadé. Une certaine nervosité avait succédé à son ironie légère et à son cynisme affecté.

Un jour, nous nous trouvâmes en tête à tête dans le salon des Zassekine: Zinaïda n'était pas encore rentrée de sa promenade et la vieille princesse se querellait avec la bonne à l'étage au-dessus.

«Dites-moi, jeune homme, pourquoi passez-vous tout votre temps à tramer par ici? me demanda-t-il... Vous feriez mieux d'étudier tant que vous êtes jeune, et ce n'est pas du tout ce que vous faites en ce moment.

– Vous n'en savez rien. Qui vous dit que je ne travaille pas chez moi? rétorquai-je en le prenant d'assez haut, mais non sans montrer quelque trouble.

– Ne me parlez pas d'études ! Vous avez autre chose en tête.
30 Je n'insiste pas… à votre âge, c'est normal… Laissez-moi vous
dire seulement que vous êtes rudement mal tombé… Est-ce que
vous ne voyez pas le genre de la maison ?

– Je ne saisis pas…

– Vous ne saisissez pas ?… Eh bien, tant pis pour vous ! Mais
35 il est de mon devoir de vous avertir. Nous autres, vieux célibataires endurcis, pouvons sans crainte fréquenter cette maison :
que voulez-vous qu'il nous arrive ? Nous en avons vu d'autres, et
rien ne nous effraie. Mais vous, vous avez encore une peau trop
délicate. Croyez-moi, l'air d'ici ne vous vaut rien… Gare à la
40 contagion !

– Comment cela ?

– Eh, mais tout simplement… Êtes-vous bien portant en ce
moment ? Vous trouvez-vous dans votre état normal ? Pensez-
vous que ce que vous ressentez puisse vous faire du bien ?

45 – Mais qu'est-ce que je ressens ? dis-je, tout en reconnaissant,
dans mon for intérieur, que le docteur avait parfaitement raison.

– Ah ! jeune homme, jeune homme, fit-il en donnant à ces
deux mots une intonation assez blessante… Allons, ne jouez pas
au plus fin. Votre visage vous trahit… Et d'ailleurs, à quoi bon
50 discuter… Croyez-moi, je ne fréquenterais pas cette maison si…
(il serra les dents)… si je n'étais pas aussi détraqué que vous…
Une seule chose me surprend : comment se fait-il que vous ne
voyiez pas ce qui se passe autour de vous… Pourtant vous êtes
un garçon intelligent…

55 – Mais que se passe-t-il donc ? », dis-je en dressant l'oreille.

Le docteur me dévisagea d'un air de commisération amusée.

« Ce que je peux être bête, murmura-t-il, comme s'il se parlait
à lui-même… À quoi bon le lui dire ?… Bref, conclut-il en élevant
la voix, laissez-moi vous le répéter : l'atmosphère de céans
60 n'est pas bonne pour vous. Elle vous plaît, me direz-vous – et
après ?… Dans une serre aussi il y a des odeurs délicieuses, mais

nul ne peut y vivre... Écoutez-moi, faites ce que je vous dis et retournez à votre Kaïdanov... »

C'est alors que la vieille princesse réapparut au salon et
65 commença à se plaindre de sa rage de dents. Zinaïda arriva peu après elle.

« Tenez, docteur, vous devriez la gronder, dit sa mère : elle passe son temps à prendre de l'eau avec des glaçons. C'est très mauvais pour ses poumons.

70 – Pourquoi faites-vous cela ? demanda Louchine.

– Que peut-il en résulter ?

– Vous pouvez prendre un refroidissement et mourir.

– Vraiment ?... Pas possible !... Eh bien, tant mieux !

– Ah ! ah ! voilà où nous en sommes », grommela le docteur.
75 La vieille princesse se retira.

« Mais oui, répliqua Zinaïda... Croyez-vous que la vie soit toujours gaie ? Regardez un peu autour de vous... Est-ce que tout va bien ?... pensez-vous que je ne m'en aperçoive pas ? Cela m'amuse de boire de l'eau glacée, et vous, vous venez me déclarer
80 sentencieusement qu'une telle vie ne vaut pas d'être risquée pour un instant de plaisir... Je ne parle même pas d'un instant de bonheur...

– Oui, oui, dit Louchine... Caprice et indépendance... Ces deux mots résument tout votre caractère. »
85 Zinaïda rit nerveusement.

« Vous n'êtes pas à la page, mon cher docteur, et vous obser-vez mal... Mettez des lunettes... Je ne suis plus d'humeur à avoir des caprices... Croyez-vous que cela m'amuse de vous taquiner et de rire de moi-même ?... Et pour ce qui est de l'indépendance...
90 Monsieur Voldémar, ajouta-t-elle en tapant du pied, ne faites pas cette tête mélancolique. J'ai horreur qu'on me plaigne... »

Elle se retira à grands pas.

« L'atmosphère de cette maison ne vous vaut décidément rien, jeune homme », dit encore Louchine.

XI

Le même soir, les invités habituels se réunirent chez les Zassekine. J'étais du nombre.

L'on parla du poème de Maïdanov. Zinaïda le loua sincèrement :

5   « Seulement, dit-elle, si j'avais été poète, j'aurais choisi d'autres sujets... C'est peut-être stupide ce que je vous dis là, mais il me vient parfois des idées bizarres, la nuit surtout, quand je ne dors pas, et aussi au lever du soleil, à l'heure où le ciel devient rose et gris... C'est ainsi que, par exemple... Vous n'allez pas rire de moi ?

10   – Mais non, mais non », répondîmes-nous d'une voix.

Elle croisa les bras sur la poitrine et tourna la tête légèrement de côté :

« J'aurais montré tout un groupe de jeunes filles, la nuit, dans une barque, sur un fleuve paisible... La lune luit, les jeunes filles

15 sont en blanc, avec des couronnes de fleurs blanches sur la tête, et chantent... quelque chose comme un hymne. Enfin, vous voyez ce que je veux dire.

– Oui, oui, je vous suis, murmura Maïdanov, rêveur.

– Et soudain, du bruit, des rires, des flambeaux, des torches,

20 des tambourins sur la côte... Des bacchantes [1] accourent en foule, avec des cris et des chants. Là-dessus, je vous cède la parole, monsieur le poète... J'aurais voulu des torches très rouges, beaucoup de fumée... Les yeux des bacchantes brillent sous leurs couronnes... Ces dernières seront de couleur sombre... N'oubliez

25 pas les peaux de tigre, les vases, l'or... des monceaux d'or !

---

1. *Bacchantes* : dans la mythologie grecque et romaine, prêtresses de Bacchus (ou Dionysos), dieu grec du vin, de la vigne et de l'ivresse.

– Où faut-il que je mette l'or ? demanda Maïdanov, en reje-
tant ses cheveux plats en arrière et dilatant ses narines.

– Où ?… Sur leurs épaules, à leurs bras, à leurs jambes…
partout. L'on dit que dans l'Antiquité, les femmes portaient des
30 anneaux autour des chevilles… Les bacchantes appellent les
jeunes filles de la barque. Celles-ci ont interrompu leur hymne,
mais ne bougent pas… Leur embarcation accoste doucement, au
fil de l'eau… L'une d'elles se lève lentement – attention, ce passage demande beaucoup de tendresse, car il faut décrire les gestes
35 majestueux de cette jeune fille, au clair de lune, et l'effroi de ses
compagnes… Elle enjambe la paroi de la barque, les bacchantes
font cercle autour d'elle et l'emportent dans la nuit, dans les
ténèbres… Imaginez-vous des volutes de fumée et une confusion
générale… L'on n'entend plus que les cris stridents des bac-
40 chantes, l'on ne voit plus que la couronne abandonnée sur le
rivage… »

Zinaïda se tut. (« Oh ! Elle aime ! », me dis-je de nouveau.)

« C'est tout ? demanda Maïdanov.

– Oui, c'est tout.

45 – Il n'ý a pas de quoi faire tout un long poème, déclara le
poète, avec suffisance, mais je vais tirer parti de votre suggestion
pour une pièce lyrique.

– Dans le genre romantique ? demanda Malevsky.

– Bien sûr, à la Byron [1].

50 – Et moi, je trouve que Hugo vaut mieux que Byron, répliqua
négligemment le jeune comte… Plus intéressant…

– Certes, Hugo est un écrivain de premier ordre, fit Maïdanov, et mon ami Tonkochéiev [2] dans son roman espagnol *El
Trovador*…

---

1. *Byron* (1788-1824) : poète anglais qui a eu une influence immense sur
tous les poètes romantiques européens.
2. *Tonkochéiev* : nom qui signifie « cou mince ». C'est la déformation de
Tonkotchéiev, nom de l'auteur du livre *El Trovador*, publié à Moscou en
1833 (année où Tourguéniev situe le début du récit de Vladimir Pétrovitch).

55 – C'est celui où il y a des points d'interrogation à l'envers ? intervint Zinaïda.

– Celui-là même. C'est l'usage, chez les Espagnols… Je disais donc que Tonkochéiev…

– Oh, vous voilà de nouveau embarqués dans un débat sur 60 les classiques et les romantiques ! intervint de nouveau la jeune fille. Faisons plutôt un jeu…

– Les gages ? proposa Louchine.

– Oh non, c'est mortel ! Jouons plutôt aux comparaisons ! »

C'était une invention de Zinaïda ; le jeu consistait à choisir un 65 objet, chacun essayait de le comparer à quelque chose et celui qui trouvait la meilleure comparaison était déclaré vainqueur.

Elle s'approcha de la fenêtre. Le soleil venait à peine de se coucher, et de longs nuages rouges montaient haut dans le ciel.

« À quoi ressemblent-ils, ces nuages ? demanda Zinaïda, et 70 sans attendre de réponse, elle répondit elle-même :

– Moi, je trouve qu'ils ressemblent à ces voiles écarlates que Cléopâtre[1] avait fait attacher aux mâts de son vaisseau le jour où elle partit à la rencontre d'Antoine[2]. Vous en souvenez-vous, Maïdanov ? Vous m'en avez parlé l'autre jour. »

75 Nous suivîmes tous l'exemple de Polonius, dans *Hamlet*[3], et décidâmes à l'unanimité que les nuages ressemblaient précisément à ces voiles et qu'il n'était pas possible de trouver meilleure comparaison.

« Et quel âge avait Antoine ? interrogea la jeune fille.

Cet auteur russe y employait les signes de ponctuation espagnols, points d'interrogation et d'exclamation inversés.

1. Cléopâtre (69-30 av. J.-C.) : reine d'Égypte à la beauté et à l'intelligence légendaires dont le règne coïncide avec la conquête de l'Égypte par les Romains. Elle fut la maîtresse de César et après sa mort épousa Antoine.

2. Antoine (83-30 av. J.-C.) : homme politique romain. Ancien lieutenant de César, qui, par amour pour Cléopâtre, se soumit aux intérêts de l'Égypte et s'efforça de créer un grand empire oriental.

3. Personnage du très célèbre drame *Hamlet* (v. 1600) de l'auteur dramatique anglais Shakespeare (1564-1616).

80 – Oh, il était certainement tout jeune, dit Malevsky.

– Oui, il était jeune, confirma Maïdanov avec conviction.

– Je m'excuse, mais il avait plus de quarante ans, déclara Louchine.

– Plus de quarante ans…», répéta Zinaïda, en lui jetant un
85 rapide coup d'œil.

Je rentrai bientôt chez moi.

Mes lèvres murmuraient machinalement : «Elle aime… mais qui ?…»

XII

Les jours passaient. Zinaïda devenait de plus en plus étrange, incompréhensible. Une fois je la trouvai chez elle, assise sur une chaise cannée, la tête appuyée sur le bord de la table. Elle se redressa… Son visage ruisselait de larmes.

5 «Ah, c'est vous, fit-elle avec un amer rictus. Venez donc par ici.»

Je m'approchai d'elle ; elle me prit la tête à deux mains, s'empara d'une mèche de mes cheveux et se mit à la tordre.

«Aïe ! cela me fait mal ! m'écriai-je en fin de compte.

10 – Ah, cela vous fait mal ! Et moi, croyez-vous donc que je ne souffre pas assez ?

«Oh ! s'exclama-t-elle en s'apercevant qu'elle venait de m'arracher une touffe de cheveux. Qu'ai-je fait ! Pauvre monsieur Voldémar !»

15 Après les avoir soigneusement lissés, elle les enroula autour de son doigt.

«Je vais mettre vos cheveux dans mon médaillon et les porter toujours sur moi, me dit-elle en guise de consolation, cependant que des larmes brillaient toujours dans ses yeux. Peut-être m'en
20 voudrez-vous un peu moins ?… À présent, adieu…»

Je rentrai chez moi. À la maison, non plus, cela n'allait pas bien. Maman venait d'avoir une explication avec mon père ; elle lui reprochait encore quelque chose, et lui ne disait rien, froid et poli, selon sa coutume. D'ailleurs, il sortit peu après. Je n'avais 25 pas pu entendre ce qu'avait dit ma mère, et puis j'avais bien d'autres chats à fouetter. Je me rappelle seulement qu'à l'issue de cette explication, elle me convoqua dans son bureau et me parla fort aigrement de mes visites – trop fréquentes – chez la vieille princesse, une femme capable de tout [1], me dit-elle.

30 Je lui baisai la main (c'était ma manière à moi de mettre fin à un entretien) et montai dans ma chambre. Les larmes de Zinaïda m'avaient fait complètement perdre la tête ; je ne savais que penser, prêt à pleurer, moi aussi – car il faut vous dire qu'à seize ans j'étais quand même un enfant.

35 Je ne songeais plus à Malevsky, et pourtant Belovzorov devenait chaque jour plus menaçant et regardait l'habile comte de l'œil du loup qui regarde l'agneau ; à dire vrai, je ne pensais plus à rien ni à personne. Je me perdais en suppositions et recherchais les endroits solitaires.

40 J'avais une prédilection particulière pour les ruines de la serre, ayant pris l'habitude d'escalader son mur abrupt et d'y rester assis, à califourchon, tellement malheureux, triste et oublié que je prenais pitié de moi-même : douce griserie de l'isolement mélancolique !

Un jour que je me trouvais là, les yeux perdus au loin, à écouter 45 le carillon du monastère, je perçus tout à coup un frôlement mystérieux : ce n'était pas le vent, ni un frémissement, mais une sorte de souffle et plus exactement la sensation d'une présence… Je baissai les yeux.

Zinaïda longeait le sentier d'un pas pressé ; elle portait une 50 robe légère, de couleur grise, et une ombrelle de la même teinte sur l'épaule. Elle m'aperçut, s'arrêta, releva le bord de sa capeline et me regarda avec des yeux de velours.

---

1. *Une femme capable de tout* : en français dans le texte.

«Que faites-vous si haut ? me demanda-t-elle avec un étrange sourire. – Eh bien, qu'attendez-vous ? Au lieu de passer votre temps à me persuader que vous m'aimez, sautez donc par ici, si cela est vrai. »

À peine avait-elle fini de parler, que je me précipitais en bas, comme si quelqu'un m'avait violemment poussé dans le dos. Le mur devait être haut de près de sept mètres. J'atterris sur mes pieds, mais le choc fut si fort que je ne réussis pas à rester debout ; je tombai et restai évanoui quelques instants. En revenant à moi, et sans ouvrir les yeux, je sentis que Zinaïda était toujours là, tout près de moi.

«Cher petit, disait-elle avec une tendresse inquiète, cher petit, comment as-tu pu faire cela, comment as-tu pu m'écouter... Je t'aime... Relève-toi. »

Sa poitrine se soulevait tout contre ma tête, ses mains frôlaient ma joue, et soudain – Seigneur, quel délice ! – ses lèvres douces et fraîches couvrirent mon visage de baisers... effleurèrent mes lèvres... À ce moment-là, à cause de l'expression de mon visage, elle dut se douter, malgré mes yeux obstinément fermés, que j'étais revenu à moi, et se redressa rapidement :

«Eh bien, relevez-vous, polisson sans cervelle. Qu'est-ce que vous faites là, dans la poussière ? »

J'obtempérai.

«Donnez-moi mon ombrelle... voyez où je l'ai jetée... et ne me regardez pas ainsi... En voilà de sottes idées !... Vous êtes-vous fait mal ? Les orties vous ont piqué ? Je vous dis de ne pas me regarder ainsi... Il ne veut rien comprendre, rien répondre, ajouta-t-elle comme si elle parlait à elle-même. Rentrez chez vous, monsieur Voldémar, brossez-vous et ne me suivez pas, sinon je vais me fâcher et jamais plus je ne... »

Elle n'acheva pas son propos et s'éloigna rapidement ; je m'assis sur le bord du sentier... mes jambes ne voulaient plus me porter. Les orties m'avaient brûlé les mains, j'avais le dos douloureux, la tête chancelante, mais, avec tout cela, j'éprouvais un sentiment de béatitude que je n'ai plus jamais retrouvé de ma vie. Il se manifestait par une torpeur douce et douloureuse circulant dans mes veines, et finit par se donner libre cours, sous forme de gambades et de cris enthousiastes… Vraiment, j'étais encore un enfant !

XIII

Vous dirai-je ma joie et ma fierté durant tout ce jour-là ? La sensation des baisers de Zinaïda était encore si présente sur mon visage ; transporté de ravissement, j'évoquais à tout moment chacune de ses paroles et tenais tellement à ma félicité nouvelle que je commençais d'avoir peur et ne voulais plus revoir la cause de mon exaltation.

Il me semblait que je ne pouvais plus rien attendre du destin et que l'heure était venue « de respirer une dernière fois à pleins poumons ».

Le lendemain, en me rendant chez les Zassekine, j'éprouvais une vive confusion que je masquais en vain sous la désinvolture modeste du monsieur-qui-veut-faire-entendre-qu'il-sait-garder-un-secret.

Zinaïda me reçut le plus simplement du monde, et sans la moindre émotion, se contentant de me menacer du doigt et de me demander si je n'avais pas de bleus. Toute ma désinvolture, ma modestie et mes airs de conspirateur s'évanouirent en un clin d'œil. Sans doute, je ne m'attendais à rien d'extraordinaire, mais enfin… le calme de la jeune fille produisit sur moi exactement l'effet d'une douche froide. Je compris que je n'étais qu'un enfant pour elle, et cela me fit beaucoup de peine !

Zinaïda se promenait de long en large, et un bref sourire effleurait son visage toutes les fois que ses yeux se posaient sur moi ; mais ses pensées étaient loin – je le voyais bien…

25 «Vais-je lui parler d'hier, lui demander où elle allait d'un pas si vif et savoir enfin ?...»

J'y renonçai et pris place dans un coin, à l'écart.

L'arrivée de Belovzorov, sur ces entrefaites, me parut on ne peut plus opportune.

30 «Je n'ai pas réussi à vous trouver un cheval tranquille... Il y en a bien un dont Freitage se porte garant, mais moi, je n'ai pas confiance. J'ai peur.

– Et de quoi avez-vous peur, s'il est permis de vous poser cette question ? demanda Zinaïda.

35 – De quoi ?... Mais vous ne savez pas monter à cheval. Dieu nous garde, mais un malheur est si vite arrivé ! Quelle est cette lubie qui vous passe par la tête ?

– Cela ne regarde que moi, monsieur le fauve... Et s'il en est ainsi, je vais m'adresser à Piotr Vassiliévitch...

40 C'était le nom de mon père, et je fus surpris de l'entendre parler de lui avec une telle aisance, comme si elle était certaine qu'il accepterait de lui rendre ce service.

– Tiens, tiens, fit Belovzorov, c'est donc avec ce monsieur-là que vous voulez faire du cheval ?

45 – Que ce soit lui ou un autre, cela ne vous regarde pas. Une chose est sûre, ce ne sera pas avec vous.

– Pas avec moi..., répéta le hussard... Soit... je vais vous trouver une monture.

– Seulement faites bien attention à ce que ce ne soit pas une
50 mule... Car je vous préviens que je veux faire du galop.

– Faites-en, si cela vous chante... Est-ce avec Malevsky ?

– Et pourquoi pas avec lui, mon vaillant capitaine ? Allons, calmez-vous, ne faites plus ces yeux-là. On dirait que vous voulez foudroyer les gens... Je vous emmènerai aussi... Malevsky...
55 comme si vous ne saviez pas ce qu'il est pour moi, à présent... pfuitt ! »

Elle secoua la tête.

«C'est pour me consoler que vous dites cela», ronchonna Belovzorov.

60 Zinaïda plissa les yeux.

«Vous consoler ?... Oh... oh... oh... mon brave capitaine ! proféra-t-elle enfin, comme si elle n'avait pas réussi à trouver d'autre mot. Et vous, monsieur Voldémar, voudrez-vous venir avec nous ?

65 – C'est que... je n'aime pas être... en nombreuse compagnie, balbutiai-je sans lever les yeux.

– Ah ! ah ! vous préférez le tête-à-tête[1]... Tant pis, ce sera comme vous le voudrez, soupira-t-elle. Allez, Belovzorov, au travail... Il me faut absolument un cheval pour demain !

70 – Oui, mais où prendre l'argent ?», intervint la vieille princesse.

Zinaïda fronça les sourcils.

«Je ne vous ai rien demandé... Belovzorov me fait confiance.

– Confiance... confiance...», grommela la matrone.

75 Et subitement, elle hurla de toute la force de ses poumons :

«Douniacha !

– Maman, je vous ai pourtant acheté une sonnette, observa Zinaïda.

– Douniacha !», appela de nouveau la princesse.

80 Belovzorov prit congé. Je sortis avec lui. On n'essaya pas de me retenir...

XIV

Le jour suivant, je me levai de très bonne heure, me taillai un bâton et m'en allai loin de la porte de Kalouga. Je voulais me promener seul et ruminer mon chagrin. Il faisait un temps superbe,

---

1. *Tête-à-tête* : en français dans le texte.

ensoleillé, et modérément chaud ; un vent frais et joyeux errait au-
dessus de la terre, folâtrait et bruissait, mais avec retenue. Je marchai
longtemps à travers collines et bois, profondément insatisfait, car
le but de ma randonnée avait été de m'adonner à la mélancolie, et
voilà que la jeunesse, la splendeur du soleil, la fraîcheur de l'air, le
plaisir d'une marche rapide, la molle volupté de s'allonger dans
l'herbe épaisse, loin de tous les regards, voilà que tout cela prenait
le dessus et me faisait oublier mon chagrin…

Et puis le souvenir des paroles de Zinaïda et de ses baisers
s'empara de nouveau de mon âme. Il m'était doux de me dire
qu'elle était bien obligée de reconnaître ma force de caractère
et mon héroïsme… «Elle préfère les autres, me disais-je… Tant
pis !… Ces gens-là ne sont braves qu'en paroles, et moi, j'ai
donné des gages… Et j'accepterai d'autres sacrifices, beaucoup
plus graves, s'il le faut ! »

Mon imagination était déchaînée. Je me voyais sauvant la
jeune fille des mains de ses ennemis, l'arrachant d'une prison,
héroïque et tout couvert de sang, puis, expirant à ses pieds…

Je me souvins d'un tableau accroché dans notre salle à manger : Malek-Adel enlevant Mathilde [1].

Aussitôt après, j'étais absorbé dans la contemplation d'un
pivert bariolé qui gravissait le tronc mince d'un bouleau et jetait
des coups d'œil inquiets, à droite puis à gauche, comme un
joueur de contrebasse derrière son instrument.

Ensuite, je me mis à chanter : *Ce ne sont pas les blanches
neiges* [2] et passai de là à une autre romance, fort connue à
l'époque : *Je t'attends au moment où folâtre le Zéphyr* [3]…

---

1. *Malek-Adel enlevant Mathilde* : *Mathilde* (1805) est un roman d'un
écrivain français, Sophie Cottin, dont l'action se situe aux temps des croisades
et qui eut un énorme succès en Russie.
2. *Ce ne sont pas les blanches neiges* : chanson populaire russe très
connue.
3. *Je t'attends au moment où folâtre le Zéphyr* : poème du prince
Viazemski, mis en musique en 1816.

Je déclamai l'invocation de Iermak[1] aux étoiles, tirée de la tragédie de Khomiakov[2], essayai de composer quelque chose de très sentimental et réussis même à terminer le poème par un « oh, Zinaïda », mais n'allai pas plus loin...

35 Entre-temps, l'heure du déjeuner approchait, je descendis ; un sentier sinueux serpentait tout au fond et conduisait à la ville. Je m'y engageai...

Tout à coup, un bruit de sabots de chevaux derrière moi. Je me retournai, m'arrêtai machinalement et ôtai ma casquette... C'était 40 mon père et Zinaïda. Ils trottaient côte à côte. Mon père était penché vers elle et lui disait quelque chose en souriant, la main posée sur l'encolure de son cheval... La jeune fille l'écoutait sans répondre et baissait les yeux, en serrant les lèvres... Je n'aperçus qu'eux, tout d'abord... Quelques instants après, Belovzorov émer-45 gea d'un tournant, en veste rouge de hussard... Son beau cheval noir était couvert d'écume, secouait la tête, reniflait, caracolait. Le cavalier se cramponnait à la bride, freinait, donnait des coups d'éperon... Je me cachai... Mon père reprit sa bride, s'écarta de Zinaïda et ils repartirent tous les deux, au galop... Belovzorov leur 50 emboîtait le pas, en faisant sonner son sabre...

« Il est rouge comme une écrevisse, me dis-je, mais elle... pourquoi est-elle si pâle... Elle a fait du cheval toute la matinée et elle est pâle ? »

Je pressai le pas et arrivai à la maison juste avant le repas... 55 Mon père s'était déjà changé et avait fait sa toilette. Assis dans un fauteuil, tout contre celui de maman, il lui lisait, d'une voix égale et sonore, le feuilleton du *Journal des Débats* ; ma mère l'écoutait d'une oreille distraite. En me voyant, elle me demanda où j'avais disparu et ajouta qu'il lui déplaisait fort de me voir vagabonder 60 Dieu sait où et avec Dieu sait qui.

---

1. *Iermak* : cosaque qui conquit la Sibérie au XVIe siècle pour le tsar Ivan le Terrible.

2. *Khomiakov* : poète et philosophe russe qui écrivit en 1826 une tragédie romantique, *Iermak*, consacrée au conquérant de la Sibérie.

« Mais je me suis promené tout seul ! », allais-je répondre, quand je croisai le regard de mon père et me tus, je ne sais pourquoi.

XV

Pendant cinq ou six jours, je ne vis plus Zinaïda. Elle se disait souffrante (ce qui n'empêchait nullement les habitués de venir lui rendre visite, de « monter la garde », comme ils disaient).

Ils venaient tous, à l'exception de Maïdanov, qui sombrait
5 dans la mélancolie dès qu'il n'avait plus de raison de s'enthousiasmer. Belovzorov se tenait dans un coin, l'air maussade, raide dans son uniforme, boutonné jusqu'au menton et cramoisi. Un mauvais sourire errait sur le fin visage du comte Malevsky ; il était tombé en disgrâce et s'efforçait de se rendre utile à la vieille prin-
10 cesse avec un empressement servile. N'était-il pas allé jusqu'à l'accompagner, dans son fiacre, chez le gouverneur général [1]. Il est vrai que la visite n'avait pas été un succès et qu'il en était même résulté des désagréments pour le comte : on lui avait rappelé une histoire qu'il avait eue, autrefois, avec un officier du
15 Génie [2] ; il lui avait fallu s'expliquer et admettre qu'il avait fait preuve d'inexpérience.

Louchine avait coutume de venir deux fois par jour, mais ne restait pas longtemps ; depuis notre récent tête-à-tête, il m'inspirait une vague appréhension, en même temps qu'une sympathie
20 profonde.

Un jour, nous allâmes nous promener ensemble au jardin Neskoutchny ; il se montra très aimable avec moi et m'énuméra

---

1. *Gouverneur général* : chaque province russe était dirigée par un gouverneur ; c'est à l'autorité du gouverneur général que les gouverneurs de trois ou quatre provinces étaient soumis. Il était donc à la tête d'une très grande région.
2. *Génie* : service technique de l'armée chargé des travaux (construction et entretien de casernements, fortifications, ponts, notamment).

les noms et les propriétés de toutes les plantes. Tout à coup, il se frappa le front et s'exclama, sans que rien ne l'eût fait prévoir au cours de notre précédente conversation : « Imbécile que j'étais de la croire coquette !... Il faut croire qu'il existe des femmes qui trouvent qu'il est doux de se sacrifier !

– Que voulez-vous dire ? lui demandai-je.

– Rien... Du moins rien qui puisse vous intéresser », répondit-il brusquement.

Zinaïda m'évitait. Ma seule vue lui était désagréable – je ne pouvais pas ne pas m'en rendre compte... Elle se détournait machinalement, et précisément parce que le geste était machinal, j'en concevais un désespoir amer... Je m'efforçais de n'être pas vu d'elle et la guettais de loin, mais je ne réussissais pas toujours.

Il lui arrivait quelque chose d'étrange et d'inexplicable : elle n'était plus la même, jusque dans l'expression de son visage.

J'en fus particulièrement frappé par une soirée douce et chaude. J'étais assis sur un petit banc sous un saule – un endroit que j'aimais beaucoup, car, de là, je pouvais voir *sa* fenêtre. Au-dessus de moi, dans le feuillage, un petit oiseau l'air affairé sautillait de branche en branche ; un chat gris se faufilait dans le jardin, en s'aplatissant sur le sol ; des hannetons bourdonnaient sourdement dans l'air sombre, mais encore transparent. Les yeux fixés sur la croisée, j'épiais... Elle s'ouvrit enfin, et Zinaïda apparut. Elle avait mis une robe blanche – aussi blanche que son visage, ses bras et ses épaules.

La jeune fille resta longtemps immobile, les sourcils froncés. Puis elle serra les mains avec force, les porta à ses lèvres, à son front, écarta les doigts, ramena ses cheveux derrière les oreilles, secoua énergiquement la tête et referma brusquement la fenêtre.

Trois jours plus tard, je la rencontrai au jardin.

« Donnez-moi le bras, me dit-elle tendrement, comme autrefois... Il y a si longtemps que nous n'avons bavardé tous les deux. »

Je la regardai ; une douce lumière brillait au fond de ses prunelles, et elle me souriait, comme à travers un léger nuage.

« Êtes-vous encore souffrante ? lui demandai-je.

– Non, maintenant c'est passé, répondit-elle en cueillant une petite rose rouge. Je suis encore un peu lasse, mais cela passera 60 aussi.

– Et vous serez de nouveau comme avant ? »

Elle leva la fleur au niveau de ses joues, et le rouge des pétales sembla s'y refléter.

« Ai-je donc changé ?

65 – Oui, vous avez changé, répliquai-je à mi-voix.

– J'ai été froide avec vous… je le sais… mais il ne fallait pas faire attention à cela… Je ne pouvais pas faire autrement… N'en parlons plus, voulez-vous ?

– Vous ne voulez pas que je vous aime ! m'exclamai-je dans 70 un élan involontaire.

– Mais si, continuez de m'aimer, seulement pas de la même manière.

– Et comment ?

– Soyons amis, tout simplement ! »

75 Elle me fit sentir le parfum de la rose.

« Écoutez, je suis beaucoup plus âgée que vous… je pourrais être votre tante – mais oui ! – ou, tout au moins, votre sœur aînée… Et vous… »

Je l'interrompis :

80 « Je ne suis qu'un enfant ?

– C'est cela. Vous êtes un enfant. Un enfant que j'aime, bon, gentil, intelligent… Tenez, dès aujourd'hui je vous élève à la dignité de page… Vous allez être mon page et n'oubliez pas qu'en cette qualité, vous ne devez jamais quitter votre dame… Et 85 voici le signe de votre nouvelle dignité, ajouta-t-elle en passant la rose à ma boutonnière… À présent, vous avez un gage de notre bienveillance.

– J'en ai reçu d'autres, naguère…, balbutiai-je.

– Ah ! Ah ! fit Zinaïda, en me regardant de biais… Quelle 90 mémoire ! Eh bien, soit ! J'accepte ! »

Elle se pencha légèrement et me déposa au front un baiser chaste et serein.

Comme je relevais les yeux, elle fit demi-tour :

«Suivez-moi, page», intima-t-elle en se dirigeant vers le
95 pavillon.

Je la suivis, me demandant, tout étonné :

«Est-il possible que cette jeune fille douce et raisonnable soit Zinaïda ?»

Sa démarche elle-même me parut plus lente, et sa taille plus
100 svelte et majestueuse.

Mon Dieu ! Avec quelle violence nouvelle la passion se rallumait dans mon cœur !

XVI

Après le dîner, les habitués se retrouvèrent de nouveau au salon, et la jeune princesse daigna sortir de sa chambre. Notre groupe était au grand complet, tout comme lors de l'inoubliable soirée où je m'y étais associé pour la première fois. Le vieux
5 Nirmatzky, lui-même, avait traîné sa patte jusqu'au pavillon. Maïdanov était arrivé avant les autres, un nouveau poème sous le bras.

On joua aux gages, comme l'autre fois, mais sans rien de fantasque, de bruyant – l'élément bohème semblait être perdu. En ma
10 qualité de page, je me tenais assis à côté de Zinaïda. Elle proposa que celui qui tirerait un gage raconte son dernier rêve, mais cela tomba à l'eau. Les rêves manquaient totalement d'intérêt (comme celui de Belovzorov, lequel avait rêvé qu'il donnait des carassins [1] à son cheval, et que le cheval avait une tête de bois) ou bien
15 sonnaient faux, inventés de toutes pièces.

---

1. *Carassin* : poisson d'eau douce semblable à la carpe.

Maïdanov nous proposa tout un roman, avec des caveaux, des anges portant des lyres, des fleurs qui parlaient, des bruits lointains et mystérieux. Zinaïda ne lui laissa même pas le temps de finir.

20 «Quant à faire du roman, conclut-elle, autant que chacun invente une histoire!»

De nouveau, le sort désigna Belovzorov.

«Mais je ne peux rien inventer! s'écria le hussard, visiblement mal à l'aise.

25 – Quelles sottises!… répliqua Zinaïda. Figurez-vous, par exemple, que vous êtes marié et racontez-nous comment vous aimeriez passer tout votre temps avec votre femme?… Vous l'enfermeriez?

– Oui, certes.

30 – Vous resteriez vous-même auprès d'elle?

– Bien sûr.

– Parfait. Et si elle en avait assez et qu'elle vous trompe?

– Je la tuerais.

– Et si elle s'enfuyait?

35 – Je la rattraperais et la tuerais quand même.

– Bon. Supposons que je sois votre femme. Que feriez-vous?»

Belovzorov se tut.

«Je me tuerais, proféra-t-il après une minute de réflexion.

40 – Je vois qu'au moins vous ne faites pas traîner les choses en longueur!», s'exclama la jeune fille en pouffant de rire.

Le deuxième gage lui revint. Elle leva les yeux au plafond et devint rêveuse.

«Écoutez, dit-elle enfin, voici ce que j'ai trouvé… Imaginez-
45 vous un salon magnifique, une belle nuit d'été et un bal superbe… Ce bal est offert par la jeune reine. Partout, de l'or, du marbre, du cristal, de la soie, des feux, des diamants, des fleurs, des plantes odorantes… Bref, tout ce que le luxe peut rêver.

– Aimez-vous le luxe? intervint Louchine.

50 – C'est très joli, et j'aime tout ce qui est joli, répondit-elle.

– Mieux que le beau ?

– C'est trop fort pour moi... Je ne vous comprends pas... Allons, ne m'interrompez pas... Je vous disais donc qu'il y a un bal magnifique. Les invités sont nombreux. Ils sont jeunes, beaux,
55 vaillants et follement amoureux de la reine.

– Ah ! ah ! il n'y a donc pas de femmes parmi les invités ? observa Malevsky.

– Non... Attendez, si... il y en a.

– Et elles sont toutes belles ?

60 – Charmantes. Pourtant, les hommes sont amoureux de la reine. Elle est grande, svelte, et porte un petit diadème doré sur ses cheveux noirs. »

Je regardai Zinaïda, et elle me parut tellement au-dessus de nous tous. Il rayonnait une telle intelligence et tant de pénétra-
65 tion de son front d'albâtre et de ses sourcils immobiles, que, malgré moi, je me dis :

« Cette reine, c'est toi ! »

« Tous les hommes se pressent en foule autour d'elle, poursuivit la jeune fille, et lui tiennent les propos les plus flatteurs.

70 – Aime-t-elle la flatterie ? s'informa Louchine.

– Vous êtes insupportable !... Vous ne voulez donc pas me laisser parler ?... Bien sûr qu'elle l'aime ! Qui donc ne l'aime pas ?

– Une dernière question, fit Malevsky : la reine a-t-elle un mari ?

– Je n'ai même pas songé à cela... Mais non. Pour quoi faire,
75 un mari ?

– Évidemment : pour quoi faire ? répéta le comte.

– Silence [1] ! réclama Maïdanov, qui parlait d'ailleurs très mal le français.

– Merci [2], répondit Zinaïda. Ainsi donc, la reine prête l'oreille
80 à ces propos, à la musique, mais ne regarde aucun de ses invités.

---

1. *Silence !* : en français dans le texte.

2. *Merci* : en français dans le texte.

Six fenêtres sont ouvertes, de haut en bas, du plafond au parquet, et derrière on aperçoit un ciel noir avec de grandes étoiles et un parc sombre, planté d'arbres immenses. La reine contemple la nuit. Au jardin, parmi les arbres, il y a une fontaine : on la dis-
85 tingue, dans l'obscurité, à ses contours blancs et longs, très longs, très longs, comme un fantôme. À travers la musique et le bruit des voix, la reine discerne le murmure de l'eau. Et elle se dit : mes nobles sires, vous êtes beaux, intelligents, honnêtes, vous buvez chacune de mes paroles et vous vous dites prêts à expirer à mes
90 pieds... J'ai sur vous un pouvoir infini... Or, savez-vous que là-bas, près de cette fontaine où l'eau murmure si harmonieusement, mon bien-aimé m'attend et que lui aussi a sur moi un pouvoir infini... Il ne possède ni vêtements de prix ni pierres précieuses ; c'est un inconnu, mais il m'attend ; il sait que je vais venir... et je
95 viendrai... Aucune force au monde n'est capable de me retenir lorsque je veux le rejoindre et demeurer près de lui, me perdre avec lui, là-bas, dans le bruissement des arbres et le chant de la fontaine. »

Elle se tut.

100 « Est-ce bien une histoire inventée ? », demanda malicieusement le comte.

Zinaïda ne daigna même pas l'honorer d'un regard.

« Et que ferions-nous, messieurs, si nous étions parmi ces invités et connaissions l'existence de cet heureux mortel qui sou-
105 pire près de la fontaine ?

– Ce que vous feriez ? Attendez, je vais vous le dire, répliqua Zinaïda... Belovzorov le provoquerait en duel... Maïdanov écrirait contre lui une épigramme[1]... Ou, plutôt non... cela n'est pas dans vos cordes... Vous composeriez des iambes interminables,
110 à la Barbier[2], et publieriez votre chef-d'œuvre au *Télégraphe*[3]...

---

1. *Épigramme* : petit poème satirique.
2. *Barbier* (1805-1882) : poète romantique français.
3. *Le Télégraphe de Moscou* : revue littéraire bimensuelle qui publiait les œuvres des écrivains romantiques et fut éditée entre 1825 et 1834.

Nirmatzky lui emprunterait de l'argent... ou plutôt non : il lui en prêterait à intérêt... Pour vous, docteur – elle s'arrêta – ... au fait, je ne sais pas ce que vous feriez...

– En ma qualité de docteur attaché au service de Sa Majesté, je lui conseillerais de ne pas organiser de bal quand elle n'est pas disponible pour ses invités...

– Vous n'auriez peut-être pas tort... Et vous, comte ?

– Et moi ? répéta Malevsky avec un mauvais sourire.

– Vous lui proposeriez sans doute une dragée empoisonnée... »

Le visage du comte, contracté un instant, prit une expression fouineuse, puis il éclata de rire.

« Quant à vous, Voldémar... Enfin, bref, passons à un autre jeu...

– Monsieur Voldémar, en sa qualité de page, tiendrait la traîne de Sa Majesté pendant qu'elle courrait vers le jardin », railla méchamment Malevsky.

J'allais éclater. Zinaïda me mit la main sur l'épaule, se leva et prononça d'une voix qui tremblait légèrement :

« Je n'ai jamais autorisé Votre Grâce à être insolente, aussi la prié-je de se retirer. »

Elle lui désigna la porte.

« Voyons, princesse, balbutia le comte en blêmissant.

– La princesse a raison, approuva Belovzorov en se levant également.

– Vraiment... je ne croyais pas... je ne voulais pas vous blesser... Pardonnez-moi », balbutia Malevsky.

Zinaïda lui jeta un regard glacial et sourit durement.

« Soit, restez, fit-elle avec un geste méprisant... Nous avons eu tort de nous fâcher, M. Voldémar et moi... Si cela vous amuse de cracher votre venin... je n'y vois pas d'inconvénient, pour ma part !

– Pardonnez-moi », s'excusa encore une fois le comte.

Quant à moi, je pensai à nouveau au geste de Zinaïda et me dis
145 qu'une vraie reine n'aurait su montrer la porte avec plus de grâce à
l'insolent.

Le jeu des gages ne dura pas longtemps après cet incident ;
tout le monde se sentait légèrement mal à l'aise, moins à cause de
l'incident lui-même que d'un trouble confus et inexplicable. Per-
150 sonne ne l'avouait, mais chacun s'en rendait compte.

Maïdanov nous lut des vers, et Malevsky les loua exagérément.

« Il veut se montrer généreux à tout prix », me souffla Louchine.

Nous nous séparâmes assez vite. Zinaïda était devenue subitement songeuse ; sa mère fit dire qu'elle avait la migraine ;
155 Nirmatzky commença à se plaindre de ses rhumatismes…

Longtemps, je ne pus m'endormir, bouleversé par le récit de
Zinaïda. « Se pouvait-il qu'il contînt une parcelle de vérité ? me
demandais-je… De qui, de quoi avait-elle voulu parler ?… Et si
réellement il y avait anguille sous roche quelle décision devais-je
160 prendre ?… Mais non, mais non, cela n'est pas possible », me
répétai-je en me tournant et me retournant dans mon lit, les joues
en feu… Puis je me souvins de l'expression de son visage pendant
qu'elle parlait… Je me rappelai l'exclamation qui avait échappé à
Louchine, au jardin Neskoutchny, le brusque changement de la
165 jeune fille à mon égard… Je me perdais en suppositions… « Qui
est-ce ? »

Ces trois petits mots dansaient devant moi, dans l'obscurité…
un nuage bas et menaçant m'oppressait de tout son poids et
j'attendais à chaque instant que l'orage éclate.

170 J'avais observé pas mal de choses chez les Zassekine, depuis
que je les fréquentais, et m'étais habitué à beaucoup d'autres : au
désordre, aux bouts de chandelle graisseux, aux fourchettes éden-
tées, aux couteaux ébréchés, aux mines renfrognées de Boniface, à
la malpropreté de la bonne, aux manières de la vieille princesse…
175 Il y avait une chose, pourtant, à laquelle je ne pouvais pas me faire :
le changement que je découvrais confusément chez Zinaïda…

Ma mère l'avait traitée un jour d'aventurière... Une aventurière, elle, mon idole, ma divinité! Ce mot me brûlait; indigné, je voulais enfoncer ma tête dans l'oreiller... En même temps, que n'aurais-je pas donné pour être à la place de cet heureux mortel, près de la fontaine!...

Mon sang ne fit qu'un tour... «La fontaine... dans le parc... si j'y allais?» Je m'habillai en hâte et me faufilai hors de la maison... La nuit était noire, les arbres faisaient entendre un chuchotis à peine perceptible; une fraîcheur légère descendait du ciel; une odeur de persil émanait du potager... Je fis le tour de toutes les allées; le bruit de mes propres pas m'intimidait et m'encourageait en même temps; je m'arrêtais, attendais, épiant le battement de mon cœur, rapide et précis... Enfin, je m'approchai de la palissade et m'appuyai sur un piquet... Tout à coup, une silhouette de femme passa rapidement à quelques pas de moi – peut-être une hallucination: je ne savais trop quoi penser... J'essayai de percer les ténèbres du regard et retins mon souffle... Qu'est-ce que c'était?... Un bruit de pas ou les battements de mon cœur?

«Qui est là?», balbutiai-je d'une voix blanche.

Qu'était-ce encore?... Un rire étouffé?... ou le murmure des feuilles... ou un soupir tout contre mon oreille?... J'eus peur.

«Qui est là?», répétai-je encore plus bas.

Une raie de feu zébra le ciel: une étoile filante...

«Zinaïda!», voulus-je appeler, mais le son s'éteignit sur mes lèvres...

Tout à coup, comme cela se produit souvent en pleine nuit, il se fit un silence profond autour de moi... Les cigales elles-mêmes se turent dans les arbres, et je n'entendis plus que le bruit d'une fenêtre qui se fermait. J'attendis encore un moment et retournai dans ma chambre, dans mon lit froid.

J'étais en proie à une singulière émotion comme si, arrivé à un rendez-vous, j'étais resté seul et étais passé à côté du bonheur, le bonheur d'autrui...

XVII

Le jour suivant, je ne fis qu'entrevoir Zinaïda : elle était partie en fiacre avec sa mère. Par contre, je rencontrai Louchine – qui daigna à peine me saluer – et Malevsky. Le jeune comte sourit et se mit à me parler en bon camarade. De tous les habitués du
5 pavillon, il était le seul qui eût réussi à s'introduire chez nous et à se faire aimer de maman. Mon père, lui, le tenait en piètre estime et le traitait avec une courtoisie affectée qui frisait l'insolence.

« Ah ! monsieur le page[1], fit Malevsky… Je suis fort aise de vous rencontrer. Que devient votre charmante reine ? »
10 Son joli minois de gandin me dégoûtait tellement – et il me dévisageait avec une désinvolture si méprisante – que je ne lui répondis même pas.

« Toujours fâché ? poursuivit-il. Vous avez tort. Ce n'est pas moi qui vous ai élevé à la dignité de page… Savez-vous que vous
15 devez toujours suivre la reine et permettez-moi de vous faire observer que vous vous acquittez fort mal de votre mission.
– Comment cela ?
– Les pages ne quittent jamais la reine et ont devoir de la surveiller… jour et nuit, conclut-il en baissant la voix.
20 – Qu'entendez-vous par-là ?
– Mais rien du tout !… Je n'ai pas d'arrière-pensée… Jour et nuit… Le jour, cela va tout seul : il fait clair, et il y a beaucoup de monde… C'est surtout la nuit qu'il faut ouvrir l'œil, et le bon… À votre place, je ne dormirais pas et passerais mon temps à observer
25 attentivement… Rappelez-vous l'histoire de la fontaine : c'est là qu'il faut monter la garde… Vous me direz merci pour ce conseil. »

---

1. *Ah, monsieur le page !* : en français dans le texte.

Il éclata de rire et me tourna le dos, n'attribuant probablement pas trop d'importance à ses propres recommandations. Le comte avait la réputation de s'y entendre à tromper les gens, et le men-
30 songe presque inconscient qui sourdait par tous ses pores l'y aidait grandement.

Il avait voulu seulement me taquiner, mais chacune de ses paroles se répandit comme un venin dans mes veines. Le sang me monta à la tête. « Ah ! bon, me dis-je, ce n'était donc pas un
35 hasard si le parc exerçait sur moi une telle attraction ! Cela ne se produira pas ! », m'écriai-je tout haut, en me frappant la poitrine.

À dire vrai, je ne savais point ce qui ne devait pas se produire.

« Que ce soit Malevsky qui vienne à la fontaine (peut-être avait-il trop parlé, mais on pouvait s'attendre à tout de son insolence)
40 ou quelqu'un d'autre (la palissade du parc était basse et facile à franchir), peu importe, mais gare à lui s'il a affaire à moi ! Je ne voudrais pas être à sa place et ne le souhaite à personne ! Je prou-verai à l'univers entier, comme à l'infidèle (c'est ainsi que je quali-fiais Zinaïda) que je sais me venger ! »

45 Je remontai dans ma chambre, ouvris le tiroir de ma table, pris un couteau anglais que je venais d'acheter, vérifiai le fil de la lame, fronçai les sourcils et cachai l'arme dans ma poche, d'un geste froid et résolu comme si j'avais l'habitude de ces sortes de règlements de comptes. Mon cœur se souleva haineusement, et se
50 pétrifia : jusqu'au soir, j'évitai de desserrer les lèvres et de dérider mon front. Je marchais de long en large, la main crispée sur le couteau enfoui dans ma poche dont le manche était devenu tiède, ruminant des actes effrayants.

À dire vrai, ces sentiments nouveaux accaparaient si bien mon
55 attention que je ne songeais presque pas à Zinaïda… J'avais sans cesse devant les yeux l'image d'Aleko [1], le jeune bohémien : « Où vas-tu, beau jeune homme ? Reste étendu… » Et puis : « Tu es

---

1. *Aleko* : héros du long poème de Pouchkine *Les Bohémiens* (1824), qui tue son rival et son épouse infidèle d'un coup de poignard.

couvert de sang… Qu'as-tu fait ?… » « Rien du tout !… » Avec quel sourire cruel je répétais ce « Rien du tout ! »…

60 Mon père était sorti ; ma mère, qui depuis quelque temps se trouvait dans un état d'irritation quasi chronique, finit par remarquer mon air étrange et me demanda :

« Qu'as-tu donc ? On dirait que tu as avalé une couleuvre. »

Je me contentai de sourire d'un air plein de condescendance 65 et de me dire : « Ah ! s'ils savaient !… »

Onze heures sonnèrent ; j'allai dans ma chambre, mais ne me déshabillai pas : j'attendais minuit.

Les douze coups… « L'heure a sonné ! », me dis-je à voix basse, en serrant les dents. Je boutonnai ma veste jusqu'au men-70 ton, retroussai mes manches et descendis au jardin.

J'avais choisi à l'avance l'endroit où je devais me poster. Un sapin solitaire se dressait au fond du parc, là où la palissade qui séparait notre domaine de celui des Zassekine cédait la place à un mur mitoyen. Caché dans les basses branches de l'arbre, je 75 pouvais facilement voir tout ce qui se passait autour de moi – du moins dans la mesure où me le permettait l'obscurité de la nuit.

Il y avait un sentier qui courait juste au pied du sapin. Ce chemin mystérieux serpentait et passait sous la palissade, à un endroit où un intrus l'avait manifestement enjambée à plusieurs 80 reprises, à en juger par les traces. Plus loin, il menait à une tonnelle couverte d'acacias. Je me faufilai jusqu'à l'arbre et me mis en faction, adossé à son tronc.

La nuit était aussi sereine que la veille, mais le ciel était moins couvert et l'on distinguait plus nettement les contours des buis-85 sons et de quelques fleurs hautes. Les premières minutes d'attente me parurent pénibles et presque terrifiantes. Prêt à tout, je réfléchissais à la conduite à tenir : devais-je crier d'une voix de tonnerre : « Où va-tu ? Pas un pas de plus ! Avoue, ou tu es mort ! » ou bien frapper en silence ?… Chaque bruit, chaque feuille frois-90 sée par le vent prenait dans mon imagination une signification extraordinaire… Je me tenais prêt, penché en avant… Une demi-

heure s'écoula de la sorte, puis une heure ; mon sang se calmait ;
une idée insidieuse commençait à se faire jour dans mon esprit :
« Et si je m'étais trompé, si je me couvrais de ridicule, si Malevsky
s'était moqué de moi ? »

Je quittai ma cachette et allai faire le tour du parc. Pas un bruit
nulle part ; tout reposait ; notre chien dormait, roulé en boule,
devant le portail... J'escaladai les ruines de la serre, contemplai
la campagne qui s'étendait à perte de vue, me souvins de ma
rencontre avec Zinaïda à ce même endroit, m'abîmai dans mes
réflexions...

Tout à coup, je tressaillis... Je crus percevoir le grincement
léger d'une porte qui s'ouvrait, puis le craquement d'une branche
morte... En deux bonds, j'étais en bas, immobile à mon poste...
Un pas léger, rapide mais prudent, se faisait entendre dans le
jardin... Quelqu'un approchait... « Le voilà... enfin ! »

D'un geste brusque, j'arrachai le couteau de ma poche et
l'ouvris... Des étincelles rouges jaillirent devant mes yeux, mes
cheveux se dressèrent de colère et d'épouvante... L'homme
venait droit sur moi... Je me courbai en deux, prêt à bondir...
Mon Dieu !... C'était mon père !...

Bien qu'il fût entièrement enveloppé dans un manteau noir et
eût enfoncé son chapeau sur les yeux, je le reconnus immé-
diatement. Il passa devant moi sur la pointe des pieds, sans me
remarquer, bien que rien ne me dissimulât à son regard... Mais
j'étais tellement ramassé sur moi-même que je devais être presque
au ras du sol... Othello[1] jaloux et prêt à assassiner redevint un
collégien.

L'apparition de mon père m'avait fait une telle peur que je fus
incapable de déterminer d'où il était venu et dans quelle direction

---

1. _Othello_ : héros du drame de Shakespeare, _Othello_ ou _Le Maure de Venise_
(1604). Général musulman d'origine africaine, il a épousé Desdémone.
Croyant qu'elle le trompe et devenu fou de jalousie, il l'étrangle, puis se
suicide d'un coup de poignard quand il comprend qu'elle était innocente.

il avait disparu. Lorsque le silence se rétablit autour de moi, je me redressai et me demandai, stupéfait : « Pourquoi donc père va-t-il se promener la nuit dans le parc ? »

Dans mon épouvante, j'avais laissé tomber le couteau et ne me donnai même pas la peine de le chercher, tout penaud que j'étais... C'était plus fort que moi, j'étais complètement désorienté...

Cependant, en rentrant, je m'approchai du banc, sous le saule, et jetai un coup d'œil à la fenêtre de Zinaïda. Les petits carreaux, légèrement bombés, avaient un reflet terne et bleuté à la pâle clarté du ciel nocturne... Tout à coup, leur teinte changea... Une main baissait doucement, tout doucement – je le voyais nettement – un store blanc qui descendit jusqu'au bas de la fenêtre et ne bougea plus...

« Qu'est-ce que cela veut dire ? »

Je m'étais posé la question presque tout haut, malgré moi, une fois dans ma chambre.

« Ai-je rêvé ?... Est-ce une coïncidence, ou... »

Mes soupçons étaient tellement étranges et inattendus que je n'osais pas m'y arrêter.

XVIII

Je me levai avec un violent mal de tête. L'agitation de la veille avait disparu, faisant place à un sentiment pénible de stupeur et de tristesse que je n'avais jamais encore éprouvé... Comme si quelque chose était en train de mourir en moi-même...

« Pourquoi avez-vous l'air d'un lapin à qui on aurait enlevé la moitié de sa cervelle ? », me demanda Louchine, que je rencontrai.

Pendant tout le repas de midi, je jetai des regards furtifs, tour à tour sur mes deux parents ; mon père était calme, comme de coutume ; ma mère était irritée en secret.

Je me demandais si mon père n'allait pas me parler amicalement, comme cela lui arrivait de temps en temps... Eh bien, non, je n'obtins même pas cette sorte de tendresse froide qu'il me témoignait généralement chaque jour...

15 « Faut-il que je dise tout à Zinaïda ? me demandai-je. Peu importe, puisque désormais tout est fini entre nous deux... »

Je me rendis chez elle, mais ne lui racontai rien, je n'eus même pas la possibilité de lui parler comme j'aurais voulu. Son petit frère, âgé d'une douzaine d'années, élève de l'École des 20 Cadets[1] de Saint-Pétersbourg[2], venait d'arriver chez sa mère pour les vacances ; Zinaïda me le confia aussitôt :

« Voici un camarade pour vous, mon cher Volodia (c'était la première fois qu'elle m'appelait ainsi)... Vous portez le même prénom. Soyez amis, je vous le demande ; mon frère est encore 25 un peu sauvage, mais il a si bon cœur... Faites-lui visiter le jardin Neskoutchny, promenez-vous ensemble, prenez-le sous votre aile... Vous voulez bien, n'est-ce pas ? Vous êtes si gentil... »

Elle posa tendrement ses mains sur mes épaules ; je ne trouvai rien à lui répondre. L'arrivée de ce gamin me transformait moi-30 même en collégien. Je regardai le cadet en silence ; de son côté, il me dévisagea sans rien dire. Zinaïda éclata de rire et nous poussa l'un vers l'autre :

« Allons, embrassez-vous, mes enfants ! »

Nous nous exécutâmes.

35 « Voulez-vous que je vous conduise au jardin ? proposai-je au petit frère.

---

1. *L'École des Cadets* : établissement scolaire militaire dont les élèves étaient de futurs officiers.
2. *Saint-Pétersbourg* : ville fondée en 1703 par le tzar Pierre le Grand au bord du golfe de Finlande. Elle devint la capitale de l'Empire russe en 1715. En 1914, lorsque la Première Guerre mondiale commença, elle fut rebaptisée Petrograd, puis en 1924, elle prit le nom de Leningrad, en l'honneur de l'organisateur de la révolution d'Octobre. Depuis 1991, elle a retrouvé son premier nom : Saint-Pétersbourg.

– Si vous le voulez, monsieur », me répliqua-t-il d'une voix rauque et typique pour un militaire.

Zinaïda éclata de rire derechef…

40   J'eus le temps de noter que jamais encore son visage n'avait eu de si belles couleurs.

Nous sortîmes avec mon nouveau compagnon. Il y avait une vieille balançoire dans le parc. Je l'y fis asseoir et me mis en devoir de le pousser. Il se tenait raide dans son uniforme neuf, de drap
45   épais, avec de larges parements d'or, et se cramponnait énergiquement aux cordes.

« Déboutonnez donc votre col ! lui criai-je.

– Cela n'est rien, monsieur, on a l'habitude », me répondit-il en se raclant la gorge.

50   Il ressemblait beaucoup à sa sœur – les yeux surtout. Cela me plaisait, certes, de lui rendre service, mais la même tristesse continuait à me ronger le cœur.

« À présent, je suis vraiment un enfant, me dis-je… mais hier… »

55   Je me souvins de l'endroit où j'avais laissé tomber mon couteau et réussis à le retrouver. Le cadet me le demanda, arracha une grosse tige de livèche[1], tailla un pipeau et le porta à ses lèvres. Othello l'imita tout aussitôt.

Mais quelles larmes ne versa-t-il pas, ce même Othello, le soir,
60   dans les bras de Zinaïda, lorsque celle-ci le découvrit dans un coin isolé du parc et lui demanda la raison de sa tristesse !

« Qu'avez-vous ?… Mais qu'avez-vous donc, Volodia ? », répétait-elle.

Voyant que je refusais obstinément de lui répondre et pleurais
65   toujours, elle posa les lèvres sur ma joue mouillée. Je me détournai d'elle et balbutiai, à travers les sanglots :

« Je sais tout ; pourquoi vous êtes-vous jouée de moi ? Quel besoin aviez-vous de mon amour ?

---

1. *Livèche* : plante dont les tiges sont vertes et peu résistantes.

– Oui, je suis coupable à votre égard, Volodia… Oh ! je suis
70 très fautive, ajouta-t-elle en se tordant les bras… Mais il y a tant de
forces obscures et mauvaises en moi-même, tant de péché… À
présent, je ne me joue plus de vous, je vous aime, vous ne sauriez
imaginer pourquoi, ni comment… Mais racontez-moi donc ce que
vous savez. »

75 Que pouvais-je lui dire ? Elle était là, devant moi, et me dévisageait… Aussitôt que son regard plongeait dans le mien, je lui
appartenais corps et âme…

Un quart d'heure plus tard, je courais déjà avec le petit frère et
Zinaïda ; je ne pleurais plus, je riais, et des larmes de joie tom-
80 baient de mes paupières gonflées… Un ruban d'elle me tenait lieu
de cravate ; je poussais des cris d'allégresse toutes les fois que je
réussissais à attraper la jeune fille par la taille. Elle pouvait faire
de moi tout ce qu'elle voulait.

XIX

J'aurais été bien embarrassé si l'on m'avait demandé de
raconter par le menu tout ce que j'éprouvai au cours de la
semaine qui suivit mon infructueuse expédition nocturne. Ce fut,
pour moi, une époque étrange et fiévreuse, une sorte de chaos où
5 les sentiments les plus contradictoires, les pensées, les soupçons,
les joies et les tristesses traversèrent mon esprit. J'avais peur de
m'étudier moi-même, dans la mesure où je pouvais le faire avec
mes seize ans. Je redoutais de connaître mes propres sentiments.
J'avais seulement hâte d'arriver au bout de chaque journée. La
10 nuit, je dormais… protégé par l'insouciance des adolescents. Je
ne voulais pas savoir si j'étais aimé et n'osais point m'avouer le
contraire. J'évitais mon père… mais ne pouvais pas fuir Zinaïda…
Une sorte de feu me dévorait en sa présence… Mais à quoi bon
me rendre compte de ce qu'était cette flamme qui me faisait

15 fondre ?... Je me livrais à toutes mes impressions, mais manquais
de franchise envers moi-même. Je me détournais des souvenirs et
fermais les yeux sur tout ce que l'avenir me faisait pressentir... Cet
état de tension n'aurait certainement pas pu durer longtemps...
un coup de tonnerre mit brusquement fin à tout cela et m'orienta
20 sur une nouvelle voie...

Une fois que je rentrais pour dîner, à l'issue d'une assez longue
promenade, j'appris avec étonnement que j'allais me mettre à
table tout seul : mon père était absent et ma mère, souffrante,
s'était enfermée à clef dans sa chambre. Le visage des domestiques
25 me fit deviner qu'il venait de se produire quelque chose d'extraordinaire... Je n'osais pas les interroger, mais, comme j'étais au
mieux avec Philippe, notre jeune maître d'hôtel, qui aimait passionnément la poésie et jouait merveilleusement de la guitare, je
finis par m'adresser à lui.

30 Il m'apprit qu'une scène terrible venait d'avoir lieu entre mes
parents. On avait tout entendu à l'office, jusqu'au dernier mot ;
bien des choses avaient été dites en français, mais Macha, la
bonne, qui avait vécu plus de cinq ans à Paris, au service d'une
couturière, avait tout compris. Maman avait accusé mon père
35 d'infidélité et lui avait reproché ses trop fréquentes rencontres avec
notre jeune voisine. Au début, il avait essayé de se défendre, puis,
éclatant brusquement, avait prononcé quelques paroles très dures
à propos « de l'âge de Madame » ; ma mère avait fondu en larmes.

Puis, revenant à la charge, maman avait fait allusion à une
40 lettre de change qui aurait été donnée à la vieille princesse, et
s'était permis des remarques fort désobligeantes sur son compte
et sur celui de sa fille. Là-dessus, mon père l'avait menacée...

« Tout le malheur est venu d'une lettre anonyme, ajouta
Philippe... On ne sait toujours pas qui a bien pu l'écrire ; sans
45 cela, le pot aux roses n'aurait jamais été découvert.

– Mais est-ce qu'il y a vraiment eu quelque chose ? », articulai-
je à grand-peine, en sentant mes bras et mes jambes se glacer,
tandis que quelque chose frissonnait au fond de ma poitrine.

Philippe cligna de l'œil d'un air entendu :

50 « Que voulez-vous, ce sont là des histoires qu'on ne peut pas cacher éternellement... Votre père a beau être prudent, mais il lui a bien fallu, par exemple, louer une voiture... On ne peut jamais se passer des domestiques. »

Je renvoyai le maître d'hôtel et m'effondrai sur mon lit...

55 Je ne pleurais pas, ne m'abandonnais pas au désespoir, ne me demandais pas quand et comment cela s'était produit, ne m'étonnais point de ne pas m'en être douté plus tôt, n'accusais même pas mon père... Ce que je venais d'apprendre était au-dessus de mes forces... J'étais écrasé, anéanti... Tout était fini... Mes belles fleurs
60 gisaient, éparses autour de moi, piétinées, flétries...

XX

Le lendemain, maman annonça qu'elle retournait en ville.

Mon père se rendit dans sa chambre et resta longtemps en tête à tête avec elle. Personne n'entendit ce qu'ils se dirent, mais ma mère ne pleura plus. Elle devint visiblement plus calme et
5 demanda à manger, mais resta inébranlable dans sa décision et ne sortit pas de sa chambre.

Je passai la journée tout entière à errer, mais ne descendis pas au jardin et ne jetai pas un seul coup d'œil en direction du pavillon.

Le soir, je fus témoin d'un événement extraordinaire. Mon père
10 reconduisait Malevsky dans le vestibule, en le tenant par le bras, et lui déclara d'une voix glaciale, devant les domestiques :

« Il y a quelques jours, on a montré la porte, dans certaine maison, à Votre Excellence. Je n'ai pas l'intention de me lancer maintenant dans des explications, mais je tiens à vous faire savoir
15 que si jamais vous vous représentez chez moi, je vous ferai passer par la fenêtre. Je n'aime pas beaucoup votre écriture. »

Le comte s'inclina, serra les dents, rentra la tête dans les épaules et se retira, l'oreille basse.

On commença à faire les préparatifs de notre départ. Nous
20 possédions un hôtel particulier à Moscou, dans le quartier de l'Arbat[1]. Manifestement, mon père n'avait plus grande envie de prolonger notre séjour à la villa, mais avait réussi à persuader ma mère de ne pas faire d'histoire.

Tout se passait tranquillement, sans précipitation. Maman
25 avait demandé que l'on transmette ses adieux à la vieille princesse, en s'excusant de ne pas lui rendre visite avant le départ, en raison de son état de santé.

J'errais comme une âme en peine, obsédé par un seul désir : celui d'en finir au plus vite. Une pensée me poursuivait pourtant :
30 comment elle, une jeune fille et de plus une princesse, avait-elle pu se décider à cela, sachant que mon père n'était pas libre et alors qu'elle avait la possibilité de se marier, par exemple avec Belovzorov ? Sur quoi avait-elle compté ? Comment n'avait-elle pas craint de gâcher son avenir ?... C'est bien cela le véritable
35 amour, la vraie passion, le dévouement sans bornes, me disais-je... Je me souvins d'une phrase de Louchine : « Il est des femmes qui trouvent qu'il est doux de se sacrifier... »

Il se trouva que j'aperçus une tache blanche à l'une des fenêtres du pavillon. Zinaïda ?... C'était bien elle... Je n'y tins plus. Je ne
40 pouvais pas me séparer d'elle sans un dernier adieu... Je profitai d'une minute propice et courus au pavillon.

La vieille princesse me reçut dans le salon, malpropre et négligée, selon son habitude.

« Comment se fait-il que vos parents s'en aillent si tôt ? », me
45 demanda-t-elle en fourrant du tabac dans ses narines.

---

1. *L'Arbat* : quartier ancien situé au centre de Moscou où beaucoup d'hôtels particuliers sans étage ou à un étage ont été construits au XVIIIe et au XIXe siècle. C'était le quartier préféré des poètes et des artistes. Il a été en grande partie détruit dans les années 1960 et 1970 pour permettre la construction d'immeubles modernes.

Je la regardai et me sentis aussitôt rassuré. La «lettre de change» mentionnée par Philippe m'inquiétait... Mais elle ne savait rien... C'est du moins ce que je crus.

Zinaïda se montra sur le seuil de la pièce voisine, blême, les
50 cheveux défaits... Elle me prit par la main et m'emmena avec elle, sans rien dire.

«J'ai entendu votre voix et suis sortie aussitôt, commença-t-elle... Alors, méchant garçon, vous êtes capable de nous quitter si facilement?

55 – Je suis venu vous dire au revoir, princesse, murmurai-je... et probablement adieu... Vous avez peut-être entendu parler de notre départ...»

Elle me regarda fixement.

«Oui, j'en ai entendu parler. Merci d'être venu. Je croyais déjà
60 ne plus vous revoir. Ne gardez pas un mauvais souvenir de moi. Je vous ai rendu parfois malheureux, et, pourtant, je ne suis pas ce que vous pensez.»

Elle me tourna le dos et s'appuya contre la fenêtre.

«Non, je ne le suis pas... Je sais que vous avez une piètre
65 opinion de moi.

– Moi?

– Oui, vous... vous...

– Moi? répétai-je encore avec amertume, et mon cœur frémit de nouveau, subjugué par son charme indéfinissable, mais si puis-
70 sant. Moi?... Quoi que vous fassiez, Zinaïda Alexandrovna, et quelles que soient les souffrances qu'il me faille endurer de vous, sachez bien que je vous aimerai et vous adorerai jusqu'à la fin de mes jours.»

Elle se tourna brusquement vers moi, ouvrit les bras, enlaça ma
75 tête et m'embrassa avec chaleur. Dieu sait à qui était adressé ce baiser d'adieu, mais je savourai avidement sa douceur. Je savais qu'il ne se répéterait plus jamais. Adieu... adieu...

Elle s'arracha à mon étreinte et quitta la pièce. Je me retirai également... Je ne saurais vous décrire le sentiment qui m'habitait

80 à ce moment-là ; je n'aimerais pas l'éprouver de nouveau, mais en
même temps, je m'estimerais malheureux si je ne l'avais jamais
connu...

Nous partîmes, et je mis longtemps à oublier ce qui s'était passé,
à me remettre au travail. La blessure cicatrisait, mais lentement.

85 Fait étrange, je n'éprouvais aucun ressentiment à l'égard de
mon père ; au contraire, on aurait dit qu'il avait encore grandi à
mes yeux. Je laisse aux psychologues le soin d'expliquer ce
paradoxe – s'ils le peuvent.

Un beau jour, en me promenant sur le boulevard, je croisai
90 Louchine et ne dissimulai pas ma joie. Je l'aimais à cause de son
caractère droit et loyal. En outre, il évoquait tant de souvenirs
chers à mon cœur. Je m'élançai vers lui.

« Ah ! ah ! c'est vous, jeune homme, fit-il en fronçant les sourcils... Attendez un peu que je vous examine... Là... Le teint est
95 encore un peu brouillé, mais les yeux n'ont plus leur éclat mor-
bide... Vous ne ressemblez plus à un brave toutou bien appri-
voisé, mais à un être humain... J'aime cela... Eh bien, que faites-
vous ? Vous travaillez ? »

Je soupirai. Je ne voulais pas mentir, mais en même temps,
100 j'avais honte d'avouer la vérité.

« Allons, allons, ne soyez pas confus... Cela n'a pas grande
importance... L'essentiel, c'est de vivre normalement et de ne pas
se laisser égarer par la passion. Mauvais... très mauvais... Il ne
faut pas qu'une lame vous emporte : mieux vaut se réfugier sur
105 un rocher et réussir au moins à tenir debout... Quant à moi, je
tousse... Vous le voyez... À propos, savez-vous ce qu'est devenu
Belovzorov ?

– Non, je n'en sais rien.

– Disparu sans laisser de traces... Parti pour le Caucase, me suis-
110 je laissé dire. Que cela vous serve de leçon, jeune homme. Et tout cela
provient de ce qu'on ne sait pas se retirer à temps, briser les liens...
Quant à vous, je crois que vous en êtes sorti indemne... Seulement,
attention, une autre fois, ne vous laissez pas prendre... Adieu ! »

«Je ne me laisserai plus prendre, me dis-je... Je ne la reverrai
115 plus... »

Le sort en disposa autrement et je devais revoir encore une
fois Zinaïda.

XXI

Chaque jour, mon père sortait à cheval. Il avait une belle bête
anglaise, roux-gris, avec une encolure fine et élancée et de longues
jambes, infatigable et méchante. Ce cheval s'appelait Electrik.
Seul, mon père pouvait le monter.

5   Une fois, il entra dans ma chambre, et je m'aperçus aussitôt
qu'il était d'excellente humeur, ce qui ne lui était pas arrivé
depuis longtemps. Il allait partir et avait déjà mis ses éperons. Je
lui demandai de m'emmener.

«Autant jouer à saute-mouton, me répliqua-t-il. Tu ne pourras
10 jamais me suivre sur ton canasson.

– Mais si. Je vais mettre des éperons, comme toi.

– Soit, viens, si cela t'amuse. »

Nous nous mîmes en route. J'avais un petit cheval moreau[1],
tout couvert de poils, assez solide sur ses jarrets et fort éveillé. Il
15 est vrai qu'il lui fallait galoper de toutes ses forces quand Electrik
allait au grand trot, malgré cela, je ne traînais pas.

Jamais je n'ai vu de cavalier comme mon père ; il se tenait en
selle avec tant de grâce désinvolte que l'on aurait dit que le
cheval lui-même s'en rendait compte et était fier de son maître.
20 Nous longeâmes tous les boulevards, allâmes au Champ des
Vierges[2], sautâmes plusieurs palissades (j'avais peur, au début,

---

1. *Moreau* : d'un noir luisant.
2. *Champ des Vierges* : lieu de promenade situé à la limite ouest de Moscou
au XIXᵉ siècle, bordé au sud par le Nouveau couvent des Vierges. De nos jours,
la ville s'étend bien au-delà du monastère.

mais mon père haïssait les poltrons, c'est pourquoi, bon gré mal
gré, je me dominai), traversâmes deux fois la Moskova [1]... Je me
disais déjà que nous allions rentrer, d'autant plus que mon père
25 s'était aperçu de la fatigue de mon cheval, quand, tout à coup, il
me distança et tourna du côté opposé au gué de Crimée [2]. Je le
rattrapai. Parvenu à la hauteur d'un tas de vieux rondins, il mit
prestement pied à terre, m'ordonna d'en faire autant, me jeta la
bride d'Electrik et me dit de l'attendre là. Après quoi, il tourna
30 dans une petite ruelle et disparut. Je me mis à marcher de long en
large devant le parapet du quai, en tirant les deux montures
derrière moi et me querellant avec Electrik, qui ne cessait de
secouer la tête, de tirer, de renifler et de hennir ; dès que je
m'arrêtais, il labourait le sol de ses quatre fers, mordait mon
35 petit cheval, poussait des cris aigus et se comportait en vrai pur-
sang [3].

Mon père ne revenait pas. Une humidité désagréable montait
du fleuve. Il se mit à bruiner, et les rondins gris et stupides, dont
la vue commençait à m'excéder, se couvrirent de petites taches
40 noirâtres.

Je m'ennuyais à mourir, et mon père ne revenait pas. Un vieux
garde finnois, coiffé d'un shako [4] monumental en forme de pot et
une hallebarde [5] à la main (que pouvait-il bien faire sur les quais
de la Moskova ?) s'approcha et tourna vers moi son visage rata-
45 tiné de vieille paysanne :

« Que faites-vous là avec vos chevaux, monsieur ? Passez-moi
les brides, voulez-vous, je vais vous les garder. »

---

1. *Moskova* : rivière qui coule à Moscou. En russe, la ville et la rivière portent
le même nom.
2. *Gué de Crimée* : rue qui reliait la rive gauche de la Moskova au sud-ouest
de Moscou et au centre de la ville.
3. *Pur-sang* : en français dans le texte.
4. *Shako* : mot d'origine hongroise désignant une coiffure militaire rigide à
visière.
5. *Hallebarde* : arme formée d'un long manche au bout duquel se trouve un
fer pointu et deux fers latéraux.

Je ne répondis pas. Il me demanda du tabac. Pour me débarras-
ser de lui, je fis quelques pas dans la direction qu'avait prise mon
50 père. Puis j'allai jusqu'au bout de la petite rue, tournai au coin et
m'arrêtai… Je venais d'apercevoir mon père, à une quarantaine de
pas de moi, appuyé sur le rebord de la fenêtre ouverte d'une petite
maison en bois… Une femme était assise, à l'intérieur de la pièce,
vêtue d'une robe sombre, à moitié dissimulée par un rideau. Elle
55 parlait avec mon père ; c'était Zinaïda.

Je restai bouche bée… Je ne m'y attendais vraiment pas. Mon
premier mouvement fut de fuir. « Mon père va se retourner, me
dis-je, et alors je suis perdu !… » Mais un sentiment étrange, plus
fort que la curiosité et même que la jalousie, me retint où j'étais.
60 Je me mis à regarder, tendis l'oreille. Mon père avait l'air d'insis-
ter, et Zinaïda n'était pas d'accord avec lui. Jamais je n'oublierai
son visage tel qu'il m'apparut alors : triste, grave, avec une expression de fidélité impossible à décrire, et surtout de désespoir – oui,
du désespoir, c'est le seul mot que je puisse trouver. Elle répon-
65 dait par monosyllabes, les yeux baissés, et se contentait de sourire
d'un air humble et têtu à la fois.

À ce seul sourire je reconnus ma Zinaïda d'autrefois. Mon père
haussa les épaules, fit mine d'arranger son chapeau – un geste
d'impatience bien caractéristique de sa part… Ensuite j'entendis :
70 « Vous devez vous séparer de cette … [1] » Zinaïda se redressa, éten-
dit le bras… Et il se produisit alors une chose incroyable : mon
père leva brusquement sa cravache, avec laquelle il tapait sur les
pans poussiéreux de sa veste, et cingla violemment le bras de la
jeune fille, nu jusqu'au coude. J'eus du mal à retenir un cri. Zinaïda
75 tressaillit, regarda mon père en silence, porta lentement son bras à
ses lèvres et baisa la cicatrice rouge… Mon père jeta la cravache,
monta en courant les marches du perron et bondit à l'intérieur de
la maison… Zinaïda se retourna, tendit les bras, rejeta la tête en
arrière et disparut.

---

1. « *Vous devez vous séparer de cette … »* : en français dans le texte.

80 Effrayé et stupéfait, je m'élançai, repris en courant la petite rue en sens inverse, faillis laisser partir Electrik et me retrouvai enfin sur le quai.

Je savais bien que mon père, malgré son calme et sa retenue, était sujet à ces accès de rage ; néanmoins, je n'arrivais pas à
85 comprendre la scène dont j'avais été témoin… Au même instant, je compris que jamais je ne pourrais oublier le geste, le regard, le sourire de Zinaïda, que son nouveau visage ne s'effacerait pas de ma mémoire…

Je regardais la rivière sans rien voir, et ne m'apercevais pas des
90 larmes qui coulaient sur mes joues… Je pensais : « On la bat… »

« Eh bien ! donne-moi mon cheval ! », cria mon père derrière moi.

Machinalement, je lui tendis les brides. Il sauta en selle sur Electrik. Le cheval, transi de froid, se cabra et fit un saut de trois
95 mètres… Mon père le maîtrisa rapidement, lui enfonça ses éperons dans les flancs et le frappa au cou avec son poing…

« Dommage que je n'aie pas de cravache ! », marmotta-t-il.

Je me souvins du sifflement de la cravache, quelques instants avant.
100 « Qu'en as-tu fait ? », me risquai-je à lui demander après un silence.

Il ne répondit rien, partit au galop et me laissa en arrière. Je le rattrapai : je tenais absolument à voir son visage.

« Tu t'es ennuyé sans moi ? fit-il en serrant les dents.
105 – Un peu. Où as-tu perdu ta cravache ? », lui demandai-je de nouveau.

Il me jeta un rapide coup d'œil.

« Je ne l'ai pas perdue… Je l'ai jetée… »

Il baissa la tête, rêveur ; pour la première et peut-être la der-
110 nière fois, je m'aperçus combien de tendresse et de douleur pouvaient exprimer les traits sévères de son visage.

Il repartit au galop, je ne parvins plus à le rejoindre et rentrai à la maison un quart d'heure après lui.

« C'est donc cela l'amour, me disais-je, la nuit, installé devant
mon bureau où livres et cahiers avaient fait leur réapparition...
C'est cela la vraie passion... Peut-on ne pas se cabrer, ne pas se
révolter... même si l'on adore la main qui vous frappe ?... Il faut
croire que oui... quand on aime vraiment... Et moi, imbécile que
j'étais, j'imaginais que... »

J'avais beaucoup mûri depuis un mois, et mon pauvre amour,
avec toutes ses inquiétudes et ses tourments, me sembla bien petit,
bien puéril, bien mesquin devant ce sentiment inconnu que j'entre-
voyais à peine, et qui m'effrayait comme un visage inconnu séduisant mais terrible, que je tâchais vainement de discerner dans la
pénombre...

Je fis, cette nuit-là, un rêve singulier, effrayant... Je pénétrais
dans une pièce basse et sombre ; mon père était là, armé de sa
cravache, et tapait du pied ; blottie dans un coin, Zinaïda portait
une raie rouge non plus au bras, mais au front... Belovzorov se
dressait derrière elle, tout couvert de sang, entrouvrait ses lèvres
blêmes et menaçait mon père d'un geste rageur.

Deux mois plus tard, j'entrais à l'Université, et encore six mois
après, mon père mourait d'une attaque d'apoplexie, à Saint-
Pétersbourg, où nous venions de nous installer tous. Quelques
jours avant de mourir, il avait reçu une lettre de Moscou qui
l'avait extraordinairement agité... Il était allé supplier ma mère
et – chose incroyable – l'on me raconta qu'il avait pleuré !

Dans la matinée du jour où il devait succomber, il avait
commencé d'écrire une lettre pour moi, en français : « Mon fils,
méfie-toi de l'amour des femmes, méfie-toi de ce bonheur, de ce
poison... » Après sa mort, maman envoya une somme considérable à Moscou.

XXII

Quatre ans s'écoulèrent… Je venais de terminer mes études à l'Université et n'étais pas encore bien fixé sur ce que j'allais entreprendre, ne savais à quelle porte frapper. En attendant, je ne faisais rien. Un soir, au théâtre, je rencontrai Maïdanov. Il s'était
5 marié et avait obtenu un poste dans l'administration. Je ne le trouvai pas changé pour cela : toujours les mêmes élans d'enthousiasme – mal à propos – et les mêmes accès de mélancolie noire et subite.

« À propos, me dit-il, savez-vous que Mme Dolski est ici ?
10 – Mme Dolski ?… Qui est-ce ?

– Comment, vous l'avez déjà oubliée ? Voyons, l'ex-princesse Zassekine, celle dont nous étions tous amoureux… Vous ne vous rappelez pas… la petite villa près du jardin Neskoutchny.

– Elle a épousé Dolski ?
15 – Oui.

– Et ils sont ici, au théâtre ?

– Non, mais ils se trouvent de passage à Saint-Pétersbourg. Elle est arrivée il y a quelques jours, elle a l'intention d'aller faire un séjour à l'étranger.
20 – Quel genre d'homme est-ce, son mari ?

– Un jeune homme charmant, avec de la fortune, un ancien collègue de Moscou… Vous comprendrez qu'après cette histoire… vous devez être plus au courant que n'importe qui… (là-dessus, il grimaça un sourire plein de sous-entendus) il ne lui était pas facile
25 de trouver un mari… Il y a eu des conséquences… Mais, avec son intelligence, rien n'est impossible. Allez donc la voir, cela lui fera plaisir. Elle a encore embelli. »

Maïdanov me donna l'adresse de Zinaïda. Elle était descendue
à l'hôtel Demouth [1]… De vieux souvenirs remuèrent au fond de
30 mon cœur et je me promis d'aller rendre visite dès le lendemain à
l'objet de mon ancienne « passion ».

J'eus un empêchement… Huit jours passèrent, puis encore huit
autres. En fin de compte, lorsque je me présentai à l'hôtel
Demouth et demandai Mme Dolski, il me fut répondu qu'elle était
35 morte, quatre jours auparavant, en mettant un enfant au monde.

Il me sembla que quelque chose se déchirait en moi. L'idée
que j'aurais pu la voir, mais ne l'avais pas vue et ne la reverrais
plus jamais s'empara de mon être avec une force inouïe, comme
un reproche amer.

40   « Morte ! », répétai-je en fixant le portier l'air hébété…

Je sortis lentement et partis au hasard, droit devant moi, sans
savoir où j'allais… Voilà donc l'issue, voilà donc ce que recher-
chait, dans la hâte et l'émoi, cette jeune vie ardente et brillante !

Je me disais cela en revoyant ses traits chéris, ses yeux, ses
45 boucles dorées, enfermés dans une caisse étroite, dans l'obscurité
humide de la terre… Et cela tout près de moi, qui vivais encore…
à quelques pas de mon père, qui n'était plus…

Je me perdais dans ces réflexions, forçais mon imagination, et
pourtant un vers insidieux résonnait dans mon âme :

50 *Des lèvres indifférentes [2] m'ont appris la nouvelle de sa mort*
et je l'ai entendue, indifférent.

Ces vers résonnaient dans mon cœur ?

Rien ne peut t'émouvoir, ô jeunesse ! Tu sembles posséder
tous les trésors de la terre ; la tristesse elle-même te fait sourire,

---

1. *L'hôtel Demouth* : cet hôtel, un des plus grands de Saint-Pétersbourg,
portait le nom de son premier propriétaire, Philippe Demouth, et se trouvait
en plein centre de la ville.
2. *Des lèvres indifférentes* … : ces vers sont tirés d'un poème de Pouchkine,
écrit en 1826, lorsqu'il apprit que la jeune Italienne, Amalia Riznitch, qu'il
avait passionnément aimée trois ans plus tôt, était morte depuis un an, en
Italie où elle était retournée après un long séjour en Russie.

55 la douleur te va bien. Tu es sûre de toi-même et, dans ta témérité, tu clames : « Voyez, moi seule suis vivante ! » Mais les jours s'écoulent, innombrables et sans laisser de trace ; la matière dont tu es tissée fond comme la cire au soleil, comme la neige… Et – qui sait ? – peut-être, le secret de ton charme réside-t-il non 60 pas dans la possibilité de tout faire, mais dans la possibilité de penser que tu feras tout. Peut-être réside-t-il justement dans le fait que tu disperses au vent des forces que tu n'aurais pas su employer à autre chose, dans le fait que chacun de nous croit très sérieusement qu'il dépense son énergie sans compter et pré- 65 tend avoir le droit de dire : « Oh ! que n'aurais-je fait si je n'avais gaspillé mon temps ! »

Moi par exemple… qu'espérais-je, qu'attendais-je, quel avenir rayonnant prévoyais-je quand je n'accordais qu'un soupir mélan- colique au fantôme de mon premier amour, ressuscité l'espace 70 d'un instant !

Qu'est-il advenu de tous mes espoirs ? À présent que les ombres du soir commencent à envelopper ma vie, que me reste- t-il de plus frais et de plus cher que le souvenir de cet orage matinal, printanier et vite disparu ?

75 Mais j'ai tort de médire de moi-même. Malgré l'insouciance de la jeunesse, je ne suis pas resté sourd à l'appel de cette voix dou- loureuse, à cet avertissement solennel qui montait du fond d'une tombe… Quelques jours après avoir appris le décès de Zinaïda, je voulus absolument assister aux derniers moments d'une pauvre 80 vieille femme qui habitait dans notre immeuble. Couverte de gue- nilles, étendue sur des planches rugueuses, avec un sac en guise d'oreiller, elle avait une agonie lente et pénible… Toute son exis- tence s'était passée à lutter amèrement contre la misère quoti- dienne. Elle n'avait connu ni joie ni bonheur : n'aurait-elle pas dû 85 se réjouir à l'idée de la délivrance, de la liberté et du repos qu'elle allait enfin goûter ? Et cependant tout son corps usé se débattit aussi longtemps que sa poitrine se souleva encore sous la main

glacée qui l'oppressait, que ses dernières forces ne l'eurent pas complètement abandonnée. Elle se signa pieusement et murmura :

90   « Seigneur, pardonnez-moi mes péchés ! »

L'expression d'effroi et d'angoisse devant la mort ne s'éteignit au fond de son regard qu'avec l'ultime lueur de vie…

Et je me souviens que c'est au chevet de cette pauvre vieille que j'eus peur, soudain, pour Zinaïda et voulus prier pour elle,

95 pour mon père – et pour moi.

1860.

DOSSIER

Mots croisés

Horizontalement

1. Patronyme de l'auteur.
2. Patronyme du père du héros.
3. Patronyme du héros.
4. Surnom donné au héros par l'héroïne.
5. Nom de l'auteur.
6. Prénom de la mère du héros.
7. Prénom de l'héroïne.
8. Patronyme de la mère du héros.

Verticalement

I. Prénom du héros.
II. Diminutif par lequel on désigne l'héroïne.
III. Patronyme de l'héroïne.
IV. Prénom de l'auteur.
V. Nom de famille de l'héroïne.
VI. Diminutif par lequel on désigne le héros.
VII. Prénom du père du héros.

Vrai ou faux ?

Indiquez si les affirmations suivantes sont vraies ou fausses. Dans le cas d'une affirmation fausse, proposez une rectification.

1. *Premier Amour* a été écrit en 1855.
   Vrai ❏ Faux ❏

2. L'œuvre est composée de deux récits emboîtés l'un dans l'autre.
   Vrai ❏ Faux ❏

3. Le narrateur du premier récit est Tourguéniev.
   Vrai ❏ Faux ❏

4. Le lieu de l'action dans le premier récit est le salon de Vladimir Pétrovitch.
   Vrai ❏ Faux ❏

5. Ce salon est à Saint-Pétersbourg.
   Vrai ❏ Faux ❏

6. Le premier récit se déroule sur une durée de quinze jours.
   Vrai ❏ Faux ❏

7. Le héros du premier récit est Serge Nicolaïévitch.
   Vrai ❏ Faux ❏

8. Le deuxième récit comporte douze chapitres.
   Vrai ❏ Faux ❏

9. Son narrateur s'appelle Vladimir Pétrovitch.
   Vrai ❏ Faux ❏

10. C'est un homme de trente ans.
    Vrai ❏ Faux ❏

11. Il relate un épisode de son adolescence, lorsqu'il avait 16 ans.
    Vrai ❏ Faux ❏

12. L'histoire dure de 1833 à 1835.

Vrai ❏ Faux ❏

13. Le milieu évoqué est la grande bourgeoisie.

Vrai ❏ Faux ❏

14. Le héros tombe passionnément amoureux de la princesse Zinaïda Zassékine.

Vrai ❏ Faux ❏

15. Zinaïda aime aussi le jeune homme.

Vrai ❏ Faux ❏

16. Le héros découvre que son père est l'amant de Zinaïda.

Vrai ❏ Faux ❏

17. Le héros apprend à sa mère que son père est infidèle.

Vrai ❏ Faux ❏

18. Les parents du héros décident de quitter leur maison de vacances.

Vrai ❏ Faux ❏

19. Le père du héros décide de poursuivre secrètement sa liaison.

Vrai ❏ Faux ❏

20. Zinaïda attend un enfant du père du héros.

Vrai ❏ Faux ❏

21. Le père du héros meurt à l'âge de 42 ans.

Vrai ❏ Faux ❏

22. Zinaïda accouche de l'enfant après la mort du père du héros.

Vrai ❏ Faux ❏

23. Le héros épouse Zinaïda quatre ans plus tard.

Vrai ❏ Faux ❏

24. Zinaïda meurt assassinée.

Vrai ❏ Faux ❏

Vos papiers, s'il vous plaît !

Remplissez la fiche d'identité du héros.

Nom : ....
Prénom et patronyme : ....
Année de naissance : ....
Situation familiale : ....
Situation professionnelle : ....
Nom du père : ....
Âge du père : ....
Nom de la mère : ....
Âge de la mère : ....
Trait de caractère dominant : ....
Signe physique particulier : ....

Remplissez la fiche d'identité de l'héroïne.

Nom : ....
Prénom et patronyme : ....
Année de naissance : ....
Situation familiale : ....
Situation professionnelle : ....
Nom du père : ....
Âge du père : ....
Nom de la mère : ....
Âge de la mère : ....
Trait de caractère dominant : ....
Signe physique particulier : ....

Êtes-vous un lecteur cultivé ?

1. **L'action se déroule à Moscou et Saint-Pétersbourg. Ces villes se trouvent :**
   A. en Autriche
   B. en Russie
   C. en Espagne

2. Moscou en a été la capitale durant deux périodes de l'histoire. Lesquelles ?

A. de 1263 à 1715
B. de 1715 à 1918
C. de 1918 à nos jours

3. Attribuez à ces différentes périodes de l'histoire le nom qui leur correspond.

1703-1914 •
1914-1924 •
1924-1990 •
1990 à nos jours •

• Petrograd
• Leningrad
• Saint-Pétersbourg

4. Situez sur la carte p. 112 ces capitales européennes.

Lisbonne – Paris – Turin – Vienne
Berlin – Saint-Pétersbourg – Moscou – Rome
Londres – Madrid – Copenhague – Constantinople
Varsovie – Stockholm

À vous de mener l'enquête !

À la fin du chapitre IX, le narrateur-héros s'écrie « Mon Dieu, elle aime ! » en parlant de la princesse Zinaïda.

1. Quels indices lui permettent d'en arriver à cette conclusion ?

....
....
....
....

2. Aviez-vous été plus perspicace que lui ?
À quels autres indices pouvait-on deviner que Zinaïda était amoureuse ?

....
....
....
....

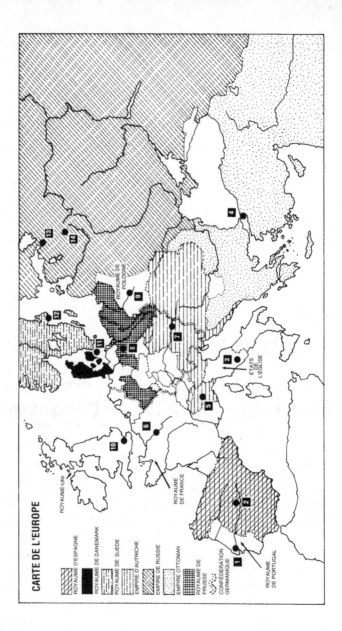

CARTE DE L'EUROPE

ROYAUME D'ESPAGNE

ROYAUME DE DANEMARK

ROYAUME DE SUÈDE

EMPIRE D'AUTRICHE

EMPIRE DE RUSSIE

EMPIRE OTTOMAN

ROYAUME DE PRUSSE

CONFÉDÉRATION GERMANIQUE

ROYAUME DE PORTUGAL

ROYAUME-UNI

ROYAUME DE POLOGNE

ROYAUME DE FRANCE

ÉTATS DE L'ÉGLISE

3. Le jeune homme découvre seulement au chapitre XIX que son rival est son propre père.

Il était possible pour le lecteur de le deviner bien avant lui car...

- A. le père de Vladimir et Zinaïda s'embrassent en public à de nombreuses reprises ?
- B. la mère du héros éprouve une antipathie croissante à l'égard de Zinaïda ?
- C. le père de Vladimir montre beaucoup de signes d'intérêt à l'égard de la jeune princesse ?
- D. le père de Vladimir et Zinaïda vont souvent au bal ensemble ?
- E. Vladimir surprend son père et Zinaïda lors d'une promenade à cheval ?
- F. le père de Vladimir fait des cadeaux somptueux à la jeune princesse ?
- G. Zinaïda laisse échapper une remarque sur une ressemblance entre le regard du héros et celui de l'homme qu'elle aime ?
- H. le héros surprend son père un soir quittant en cachette la maison de Zinaïda ?
- I. la mère de Zinaïda s'adresse au père de Vladimir pour demander réparation ?
- J. le docteur Louchine tient au jeune héros des propos ambigus qui auraient dû exciter sa curiosité ?
- K. Zinaïda fréquente avec assiduité la maison des parents de Vladimir ?

Tirez les conclusions de l'enquête !

Le héros aurait donc pu découvrir beaucoup plus tôt la liaison qu'entretenaient son père et Zinaïda.

1. On peut dire de lui qu'il fait preuve de peu de perspicacité. Entourez dans la liste suivante les quatre noms de sens à peu près équivalent.

lucidité – lubricité – sagacité
cupidité – discernement – clairvoyance
impudicité – avidité

2. Cette absence de perspicacité est due...

    A. à son manque d'intelligence ?
    B. à son absence d'expérience ?
    C. à son amour exceptionnel pour la jeune fille ?
    D. à l'admiration sans bornes qu'il porte à son père ?
    E. à sa conception conservatrice du mariage ?

3. Justifiez le ou les choix que vous avez faits pour répondre à la question précédente.

....

....

Faites le point

1. Le narrateur nous engage à mettre en œuvre notre propre perspicacité en présentant les événements à travers la perception...

    A. d'un homme de 40 ans ?
    B. d'un adolescent de 16 ans ?
    C. d'un homme de 25 ans ?

2. Avez-vous repéré dans le récit d'autres effets de cette perception ?

....

....

....

....

3. Retrouvez deux passages dans le chapitre VIII où la narrateur ne respecte pas cette règle.

....

....

....

....

4. Le narrateur, Vladimir Pétrovitch, a fait ce choix parce que...

    A. il ne voyait pas comment faire autrement ?

    B. il voulait que ses lecteurs cherchent à deviner par eux-mêmes certains éléments de l'histoire ?

    C. il ne désirait pas dévoiler sa personnalité d'homme mûr ?

    D. il souhaitait montrer la psychologie d'un adolescent des années 1830 ?

5. Sélectionnez dans la liste suivante les mots qui peignent le mieux l'état psychologique du héros dans le chapitre I.

la mélancolie – la haine – la joie
l'amour – l'attente de quelque chose de nouveau
le renoncement à tout – le désespoir

6. Quels sont les sentiments qui habitent le héros dans le dernier chapitre ?

....

....

....

....

7. Trouvez deux raisons à cette évolution.

....

....

....

....

8. Retrouvez la définition du « récit d'apprentissage » en vous aidant des mots suivants :

leçons – monde – réalités
adolescence – aventures

On appelle « récit d'apprentissage » tout écrit qui décrit les ....
d'un héros qui sort de l'.................., découvre le .... et ses
.... parfois difficiles et montre les .... qu'il en a tirées.

Les classiques et les contemporains
dans la même collection

Les anthologies dans la même collection

Création maquette intérieure :
Sarbacane Design.

Composition : IGS-CP.

GF Flammarion

08/01/135027-I-2008 – Impr. MAURY Imprimeur, 45330 Malesherbes.
N° d'édition LO1EHRN000208N001. – Dépôt légal : janvier 2008. – Printed in France.